FUE UN REGALO
DE GESMINE.

Encuentros con Morrie

Encuentros con Morrie

La lección más grande de la vida

Mitch Albom

Traducción
Mercedes Guhl

Barcelona, Bogotá, Buenos Aires, Caracas, Guatemala,
Lima, México, Miami, Panamá, Quito, San José,
San Juan, Santiago de Chile, Santo Domingo

Edición original en inglés:
Tuesdays with Morrie
An Old Man, A Young Man, and
Life's Greatest Lesson
de Mitch Albom.
Una publicación de Doubleday,
división de Bantam Doubleday Dell Publishing Group, Inc.
1540 Broadway, New York NY 10036, U.S.A.

Apartado Aéreo 53550,Bogotá,Colombia.

Impreso por D'Vinni Editorial Ltda.
Impreso en Colombia – Printed in Colombia

Edición , Patricia Torres
Diseño de cubierta, María Clara Salazar
Armada electrónica, Zobeida Ramírez

Este libro se compuso en caracteres Bembo y Cantoria.

ISBN: 958-04-4867-1

8 7 6 5 4 3 2 02 01 00 99

A mi hermano Peter, la persona
más valiente que conozco.

Contenido

El plan de estudios

El último curso que mi viejo maestro dio en su vida tenía lugar una vez a la semana en su casa, al lado de la ventana de su estudio, donde había una pequeña planta de hibisco con sus pétalos rosados. El curso era los martes. Comenzaba después del desayuno. El tema era el sentido de la vida. Se enseñaba a partir de la experiencia.

No había calificaciones, pero cada semana había exámenes orales. Se suponía que uno debía contestar unas preguntas y, a su vez, plantear otras. También se suponía que había que realizar ciertas tareas físicas de vez en cuando, como levantar la cabeza del profesor para situarla en un lugar cómodo de la almohada, o ajustarle los antejos sobre el puente de la nariz. Darle un beso de despedida merecía una bonificación extra.

No se necesitaban libros a pesar de que se

cubrían muchos temas, entre los cuales estaban el amor, el trabajo, la comunidad, la familia, el envejecimiento y finalmente la muerte. La última clase fue breve, sólo unas pocas palabras.

A manera de ceremonia de graduación, hubo un funeral.

Aunque no había examen final, se esperaba que uno escribiera un ensayo extenso sobre lo que había aprendido. Ese ensayo es este libro.

El último curso que dio mi viejo maestro sólo tenía un estudiante.

Ese estudiante era yo.

Es un sábado por la tarde, a finales del verano de 1979. La tarde está caliente y pegajosa. Hay cientos de nosotros sentados uno al lado del otro, en filas de sillas plegables de madera, dispuestas en el prado del campus central. Llevamos togas azules. Escuchamos impacientes los largos discursos. Cuando la ceremonia termina, lanzamos los birretes al aire y quedamos oficialmente graduados de la universidad —los estudiantes de último año de la Universidad de Brandeis, en la ciudad de Waltham, Massachusetts. Para muchos de nosotros, se acaba de cerrar el telón ssobre la infancia.

Después me encuentro con Morrie Schwartz, mi profesor preferido, y se lo presento a mis padres. Es un hombrecito que camina a pasos cortos, como si un viento fuerte pudiera arrastrarlo hacia las nubes en cualquier momento. Con la toga de la ceremonia de grado, parece un cruce de profeta bíblico y elfo de Navidad. Tiene ojos verde-azulados chispeantes, cabello escaso y plateado que se le derrama sobre la frente, grandes orejas y cejas gruesas grisáceas. A pesar de que tiene los dientes torcidos y los de abajo están echados hacia atrás, como si alguien le hubiera dado un golpe, cuando sonríe es como si uno le hubiera contado el mejor chiste del mundo.

Les cuenta a mis padres que yo tomé todos sus cursos.

—Éste es un muchacho especial —les dice.

Apenado, me miro los pies. Antes de irnos, le doy a mi profesor un regalo: un maletín de cuero con sus iniciales. Lo compré el día anterior en un centro comercial. No quería olvidarlo. Tal vez no quería que él me olvidara a mí.

—Mitch, tú eres uno de los buenos —dice, admirando el maletín. Luego me abraza. Siento los brazos delgados alrededor de mi espalda. Soy más alto que él y cuando me abraza me siento raro, mayor, como si yo fuera el padre y él, el hijo.

Me pregunta si seguiremos hablándonos y sin pensarlo le digo que ¡por supuesto!

Cuando nos separamos, me doy cuenta de que está llorando.

El programa

La sentencia de muerte le llegó durante el verano de 1994. Pero al mirar hacia atrás, en realidad Morrie supo que le sobrevenía algo malo desde antes. Lo supo desde el día en que dejó de bailar.

Mi viejo maestro siempre había sido un bailarín. No importaba qué tipo de música le pusieran. Rock and roll, música de las grandes bandas, blues. Todas le encantaban. Cerraba los ojos y con una sonrisa de dicha empezaba a moverse según su propio ritmo. No siempre era un espectáculo. Pero él tampoco se preocupaba por tener pareja. Morrie bailaba consigo mismo.

Solía ir a esa iglesia que hay en Harvard Square todos los miércoles por la noche, a una velada de "Baile gratis". Tenían luces intermitentes y música a todo volumen y Morrie deambulaba entre la multitud, estudiantes en su mayoría, con una camiseta blanca, pantalones negros de hacer ejercicio y una toalla alrededor del cuello, y bailaba al son que le tocaran. Habría bailado hasta lo más difícil de Jimi Hendrix. Daba vueltas y se retorcía, y agitaba los brazos como un director de orquesta que hubiera tomado anfetaminas, hasta que el sudor le chorreaba por la espalda. Nadie allí sabía que era un eminente sociólogo, con años de experiencia como profesor universitario y autor de varios libros de renombre. Simplemente les parecía que era un viejito chiflado.

Una vez llevó una cinta de tangos e hizo que se la pusieran. Después se apropió del lugar y empezó a ir de un lado a otro como un típico tumbalocas latino. Cuando terminó, todos aplaudieron. Morrie habría podido quedarse en ese momento para siempre.

Pero después dejó el baile.

A los sesenta y pico empezó a sufrir de asma. Le costaba trabajo respirar. Un día en que iba caminando por la orilla del río Charles, un golpe de viento frío lo dejó asfixiado. Lo llevaron de urgencia al hospital y le tuvieron que inyectar adrenalina.

Unos años más tarde empezó a tener problemas para caminar. En la fiesta de cumpleaños de un amigo se tropezó sin motivo alguno. Otra noche se cayó por las escaleras de un teatro y asustó a un grupo de gente.

—¡Denle aire! —gritó alguien.

A estas alturas tenía setenta y pico, así que todos susurraron "es la edad" y lo ayudaron a ponerse de pie. Pero Morrie, que siempre estuvo más en contacto con lo que pasaba en su interior que lo que el resto de nosotros suele estarlo, supo que algo más andaba mal. No era sólo la edad. Estaba fatigado todo el tiempo. Le costaba trabajo dormir. Soñó que se estaba muriendo.

Empezó a ir al médico. Montones de médicos. Le hicieron exámenes de sangre. Le hicieron exámenes de orina. Le metieron un aparato por el trasero para mirarle los intestinos por dentro. Por último, al no encontrar nada malo, un doctor le mandó hacer una biopsia de músculo, de una muestra que tomó de la pantorrilla de Morrie. El resultado del laboratorio sugería un problema neurológico y Morrie tuvo que volver a hacerse otra serie de exámenes. En uno de ellos se sentó en un asiento especial mientras le aplicaban corriente eléctrica, una especie de silla eléctrica que permitía estudiar sus respuestas neurológicas.

—Tenemos que investigar más esto —dijeron los doctores al ver los resultados.

—¿Por qué? —preguntó Morrie— ¿Qué pasa?

—No estamos seguros. Su tiempo de reacción es lento.

¿Tiempo lento? ¿Qué querían decir con eso?

Finalmente, en un día cálido y húmedo de agosto de 1994 Morrie y su esposa, Charlotte, fueron al consultorio del neurólogo y él les pidió que se sentaran para darles la noticia: Morrie sufría de esclerosis lateral amiotrófica (ALS), la enfermedad de Lou Gehrig, un mal que deteriora brutal e irremediablemente el sistema neurológico.

No había cura conocida.

—¿Cómo la contraje? —preguntó Morrie.

Nadie sabía.

—¿Es terminal?

—Sí.

—Entonces, ¿me voy a morir?

—Sí, se va a morir —dijo el doctor—. Lo siento mucho.

Estuvo hablando con Morrie y Charlotte durante casi dos horas, respondiendo a todas sus preguntas con paciencia. Antes de que se fueran, el médico les dio más información sobre el ALS, folletos, como si fueran a abrir una cuenta en un banco. Afuera el sol brillaba y la gente se ocupaba de sus cosas. Una mujer corrió a poner dinero en el parquímetro. Otra llevaba unas bolsas de compras. A Charlotte le pasaban mil ideas por la cabeza: ¿Cuánto tiempo nos queda? ¿Qué vamos a hacer? ¿Cómo vamos a pagar las cuentas?

Mientras tanto, mi viejo maestro estaba aturdido con la normalidad de la vida a su alrededor. El mundo debería detenerse, ¿no? ¿No saben lo que me está pasando?

Pero el mundo no se detuvo, no se dio cuenta de lo que pasaba, y cuando Morrie abrió débilmente la puerta del automóvil, se sintió como si estuviera cayendo en un hoyo.

¿Y ahora qué?, pensó.

Mientras mi viejo maestro buscaba respuestas, la enfermedad lo doblegó, día a día, semana a semana. Una mañana sacó el automóvil del garaje y escasamente pudo frenar. Ésa fue la última vez que condujo un auto.

Se tropezaba con frecuencia, así que compró un bastón. Ése fue el final de sus caminatas.

Un día que fue a nadar —como solía hacerlo siempre, en la Asociación de Jóvenes Cristianos—, se dio cuenta de que ya no podía desvestirse. Así que contrató a su primer ayudante, un estudiante de teología que se llamaba Tony, quien le ayudaba a entrar y salir de la piscina y a ponerse y quitarse el vestido de baño. En el vestidor, los demás nadadores fingían no ver nada. Pero en todo caso miraban. Ahí se acabó su privacidad.

En el otoño de 1994, Morrie llegó al empinado campus de Brandeis para dar su último curso universitario. Claro que habría podido no darlo. La universidad habría entendido. ¿Por qué exhibir el sufrimiento frente a tanta gente? Era mejor quedarse en casa. Poner los asuntos en orden. Pero a Morrie ni se le pasó por la cabeza la idea de renunciar.

En lugar de eso entró cojeando al salón, el lugar que había sido su hogar por más de treinta años. Por culpa del bastón, se demoró en llegar al estrado. Por fin se sentó, se quitó los anteojos y miró las caras jóvenes que le devolvían la mirada en silencio.

—Amigos, deduzco que vienen a la clase de psicología social. He dado este curso durante 20 años y ésta es la primera vez que puedo decir que existe un riesgo al tomarlo, porque tengo una enfermedad mortal. Puede ser que no viva hasta el final del semestre. Si les parece que ése es un problema, entiendo que se retiren.

Sonrió.

Y ahí terminó su secreto.

El ALS es como una vela encendida: derrite los nervios y reduce el cuerpo al estado de un montón de cera. Con frecuencia empieza en las piernas y sigue hacia arriba. Uno pierde el control de los músculos de los muslos y ya no es capaz de sostenerse en pie. Pierde el control de los músculos del tronco y ya no es capaz de sentarse derecho. Al final, si uno aún está vivo, tendrá que respirar a través de un tubo que le sale por la garganta, mientras que el alma, totalmente consciente, está presa entre una cáscara flácida que quizás pueda parpadear o chasquear con la lengua, como el ser de una película de ciencia ficción— el hombre congelado en su propia carne. Esto no toma más de cinco años desde que se contrae la enfermedad.

Los médicos de Morrie supusieron que le quedaban dos años de vida.

Morrie sabía que le quedaba menos.

Pero mi viejo profesor había tomado una decisión fundamental, una que empezó a tomar forma desde el día en que salió del consultorio del médico con una espada colgando sobre su cabeza. ¿Me dejo marchitar hasta desaparecer, o le saco el mejor partido a lo que me queda de vida?, se preguntó.

No se iba a dejar marchitar. No se iba a avergonzar de estarse muriendo.

En lugar de eso hizo de su muerte su trabajo final, el centro de sus días. Como todo el mundo iba a morir, él podía ser de gran valor, ¿o no? Podría ser material de investigación. Un libro de texto humano. Estúdienme en mi lenta y paciente muerte. Observen lo que me sucede. Aprendan conmigo.

Morrie iba a cruzar el último puente entre la vida y la muerte, y a relatar la travesía.

El semestre de otoñó transcurrió rápidamente. La cantidad de píldoras aumentó. La terapia se convirtió en una rutina regular. Las enfermeras iban a su casa a trabajar sobre sus piernas que desfallecían, doblándolas hacia adelante y hacia atrás como quien bombea agua de un pozo, para mantener activos los músculos. Cada semana venían los masajistas para tratar de aliviar la pesada y constante rigidez que sentía. Se reunía con maestros de meditación y cerraba los ojos, y restringía sus pensamientos hasta que su mundo se encogía para no ser más que una respiración, inhalar y exhalar, inhalar y exhalar.

Un día cuando iba caminando con su bastón por el andén, se cayó en la calzada. El bastón fue reemplazado por un caminador. A medida que su cuerpo se fue debilitando, las idas y venidas al baño se volvieron demasiado fatigantes y Morrie empezó a orinar en un recipiente especial. Tenía que mantenerse en pie mientras lo hacía, de manera que alguien más tenía que sostener el recipiente.

La mayoría de nosotros nos avergonzaríamos bastante con todo esto, especialmente a la edad de Morrie. Pero él no era como la mayoría de nosotros. Cuando alguno de sus colegas cercanos lo iba a visitar, le decía: "Mira, tengo que ir al baño. ¿Te molestaría ayudarme?"

Con frecuencia, para su sorpresa, no les molestaba.

De hecho, Morrie atendía a un creciente número de visitantes. Tenía grupos de discusión sobre la muerte: lo que en realidad significaba estarse muriendo y cómo las sociedades siempre le habían temido a la muerte, sin entenderla necesariamente. Les dijo a sus amigos que si de verdad querían ayudarlo, no deberían tratarlo con lástima sino visitarlo y llamarlo por teléfono para contarle sus problemas, como siempre lo habían hecho, porque Morrie siempre había sido bueno para escuchar.

A pesar de todo lo que le estaba pasando,

su voz se mantenía fuerte e invitadora y su mente vibraba con un millón de pensamientos. Tenía la intención de probar que estarse muriendo no era sinónimo de ser inútil.

El Año Nuevo vino y pasó. Aunque nunca se lo dijo a nadie, Morrie sabía que ése sería el último año de su vida. Ahora andaba en silla de ruedas y luchaba contra el tiempo para decir todas las cosas que quería decirle a toda la gente que amaba. Cuando uno de sus colegas de Brandeis murió repentinamente de un ataque al corazón, Morrie fue al funeral. Volvió a casa deprimido.

—¡Qué desperdicio! —dijo—. Toda esa gente diciendo tantas cosas maravillosas, que Irv nunca pudo oír.

Morrie tuvo una idea mejor. Hizo unas llamadas telefónicas. Escogió una fecha. Y en una tarde fría de domingo recibió a un grupito de amigos y familiares para un "funeral en vida". Cada uno de ellos habló para rendir homenaje a mi viejo profesor. Algunos lloraron. Otros rieron. Una mujer leyó un poema:

Mi querido y afectuoso primo...
tu corazón eternamente joven
a medida que te mueves a través del tiempo,
capa tras capa,
tierna secuoya...

Morrie lloró y rió con ellos. Y todas esas cosas que nunca llegamos a decirle a la gente que amamos, él las dijo ese día. Su "funeral en vida" fue un éxito rotundo.

Sólo que Morrie todavía no había muerto. De hecho, la parte más insólita de su vida estaba aún por venir.

El estudiante

En este momento debo explicar qué ha pasado conmigo desde ese día de verano en que abracé a mi querido y sabio profesor por última vez, y le prometí que seguiríamos en contacto.

No seguí en contacto con él.

Es más, perdí el contacto con la mayor parte de la gente que conocí en la universidad, incluyendo a los amigos con quienes salía a tomar cerveza y a la primera mujer con la cual pasé una noche completa. En los años que siguieron, me convertí en alguien bastante diferente del orgulloso recién graduado que abandonó el campus ese día para dirigirse a Nueva York, listo para ofrecerle su talento al mundo.

Descubrí que el mundo no era todo lo que importaba. Entre los veinte y los treinta años, me pasé la vida trabajando para pagar el alquiler, leyendo avisos clasificados y preguntándome por qué el destino no me sonreía. Mi sueño era convertirme en un músico famoso (tocaba el piano), pero tras años de bares oscuros y vacíos, promesas rotas, bandas que se disolvían y productores que se entusiasmaban con cualquiera menos conmigo, el sueño se volvió amargo. Por primera vez en la vida estaba fracasando.

Al mismo tiempo, tuve mi primer encuentro serio con la muerte. Mi tío preferido, hermano de mi madre, el hombre que me había iniciado en la música, me había enseñado a conducir, me había hecho bromas con chicas, me había mostrado piruetas de fútbol —ese hombre al que yo veía de niño y me hacía pensar "Quiero ser como él cuando sea grande"—, murió de cáncer en el páncreas a los 44 años. Era un hombre bajo y atractivo, de bigote tupido, y yo estuve a su lado durante el último año de su vida, pues vivía en el apartamento que quedaba debajo del suyo. Vi cómo su cuerpo fuerte se marchitó y luego se hinchó; lo vi sufrir, noche tras noche, doblado en dos frente a la mesa a la hora de la comida, apretándose el estómago, con los ojos cerrados y la boca torcida por el dolor. "Ayyy, Dios" gemía, "Aaaaay, Jesús". Los demás —mi tía, sus dos hijitos y yo—, nos quedábamos a su alrededor en silencio, levantando los platos, apartando la vista.

Nunca me había sentido tan inútil.

Una noche de mayo, mi tío y yo estábamos en el balcón de su apartamento. Había brisa y el tiempo estaba cálido. Miró hacia el horizonte y dijo, con los dientes apretados, que no iba a estar allí para el próximo año escolar de los niños. Me preguntó si yo los iba a cuidar. Le dije que no hablara de eso. Me miró con tristeza.

Murió unas semanas más tarde.

Después del funeral, mi vida cambió. Sentí como si de repente el tiempo fuera precioso, como el agua que se va por un sifón, y que yo no podía moverme lo suficientemente rápido. No volvería a tocar piano en bares medio vacíos. No volvería a componer canciones que nadie más iba a oír. Volví a la universidad. Hice una maestría en periodismo y tomé el primer trabajo que me ofrecieron, como redactor deportivo. En lugar de buscar mi propia fama, escribía sobre atletas que iban tras la suya. Trabajé en periódicos y como columnista invitado en revistas. Trabajé a un ritmo que no tenía en cuenta los horarios, sin límites. Me levantaba por la mañanas, me cepillaba los dientes y me sentaba frente a la máquina de escribir con la misma ropa con la que había dormido. Mi tío había trabajado en una compañía y detestaba su trabajo —siempre lo mismo— y yo había decidido que no quería acabar como él.

Vivía viajando entre Nueva York y la Florida, y finalmente acabé aceptando un trabajo como columnista en Detroit, para el *Detroit Free Press.* En esa ciudad el apetito por los deportes era insaciable; tenían equipos profesionales de fútbol, baloncesto, béisbol y hockey, y eso estaba a la par con mis ambiciones. En unos cuantos años, ya no sólo firmaba columnas sino que escribía libros de deportes, hacía programas de radio y aparecía con cierta regularidad en televisión, para exponer mi opinión sobre futbolistas ricos y sobre hipócritas programas deportivos universitarios. Formaba parte de esa tempestad de medios que ahora empapa al país. El público pedía oírme.

Dejé de pagar alquiler. Empecé a comprar. Compré una casa en una colina. Invertí en acciones y organicé una carpeta de inversiones. Vivía a un ritmo acelerado y todo lo que hacía tenía un plazo. Hacía ejercicio como un loco. Conducía a toda velocidad. Gané más dinero del que había imaginado llegar a ver. Conocí a una mujer de cabello oscuro llamada Janine, que de alguna manera me amaba a pesar de mi horario y las ausencias constantes. Nos casamos tras un noviazgo de siete años. Una semana después de la boda yo estaba de vuelta en el trabajo. Le dije —y me lo dije a mí mismo— que algún día tendríamos una familia, algo que ella deseaba profundamente. Pero ese día nunca llegó.

En lugar de eso me llené de logros, porque creí que con ellos podría controlar las cosas, que podría exprimir cada gota de felicidad antes de enfermarme y morir como mi tío, pues pensaba que ése era mi destino natural.

¿Y Morrie? Bueno, pensaba en él de vez en cuando, en las cosas que me había enseñado sobre "ser humano" y "relacionarse con los demás", pero eso estaba lejos, como si hubiera sido en otra vida. Con los años empecé a botar todo el correo que venía de Brandeis, pensando que sólo buscaban dinero. De modo que no supe de la enfermedad de Morrie. Hacía tiempos había olvidado a la gente que me hubiera podido contar, y sus números de teléfono estaban sepultados en alguna caja en la mansarda.

Todo habría seguido así de no ser porque una noche, mientras cambiaba de canal a canal en la televisión, algo captó mi atención...

El audiovisual

En marzo de 1995, la limosina que llevaba a Ted Koppel, el anfitrión del show de televisión *Nightline,* de la cadena ABC, se detuvo frente a la acera cubierta de nieve de la casa de Morrie, en West Newton, Massachusetts.

Morrie ahora pasaba todo el día en una silla de ruedas y se iba acostumbrando a que alguien lo levantara como un bulto y lo pasara de la silla a la cama y de la cama a la silla. Había empezado a toser al comer y masticar era toda una faena. Sus piernas estaban inertes; nunca más volvería a caminar.

Pero a pesar de todo, rehusaba deprimirse. Morrie se había convertido en un pararrayos de ideas. Garabateaba sus pensamientos en libretas, sobres, carpetas, trozos de papel. Escribía píldoras filosóficas sobre vivir bajo la sombra de la muerte:

"Acepta lo que eres capaz de hacer y lo que no"; "Acepta lo pasado como pasado, sin negarlo u olvidarlo"; "Aprende a perdonarte y a perdonar a los demás";"No asumas que es demasiado tarde para involucrarte".

Con el tiempo llegó a tener más de cincuenta de estos "aforismos", los cuales compartía con sus amigos. Un amigo suyo, un profesor de Brandeis llamado Maurie Stein, se conmovió tanto con las palabras que las envió a un periodista del *Boston Globe,* quien lo entrevistó y escribió una crónica sobre la historia de Morrie. El título era:

EL ÚLTIMO CURSO DE UN PROFESOR:
SU PROPIA MUERTE.

El artículo llamó la atención del productor de *Nightline,* quien se lo llevó a Koppel en Washington D.C.

—Mira esto —le dijo el productor.

El paso siguiente fue la presencia de camarógrafos en la sala de la casa de Morrie y la limosina de Koppel estacionada frente a la casa.

Varios amigos y familiares de Morrie se

habían reunido para conocer a Koppel y cuando este famoso personaje entró en la casa, se emocionaron. Todos excepto Morrie, que se acercó a él en la silla, levantó las cejas e interrumpió el alboroto con su voz aguda y cantarina.

—Ted, necesito hablar con usted antes de aceptar hacer la entrevista.

Hubo un silencio incómodo y luego los dos se dirigieron al estudio. La puerta se cerró.

—¡Caramba! —susurró un amigo—. Espero que Ted sea benigno con Morrie.

—Yo espero que Morrie sea benigno con Ted —dijo otro.

En la oficina, Morrie le indicó a Koppel con un gesto que se sentara. Cruzó las manos en su regazo y sonrió.

—Cuénteme algo que le salga del fondo del corazón —comenzó Morrie.

—¿Del corazón? Bueno —dijo con cautela Koppel, estudiando al anciano, y le habló de sus hijos. Estaban en el fondo de su corazón, ¿o no?

—Muy bien —dijo Morrie—. Ahora dígame algo sobre su fe.

Koppel estaba incómodo.

—Normalmente no hablo de esas cosas con gente a la que acabo de conocer —dijo.

—Ted, me estoy muriendo —le dijo Morrie, mirándolo por encima de las gafas—. No me queda mucho tiempo.

Koppel se rió.

Está bien. Fe… —citó un pasaje de Marco Aurelio, algo con lo que se identificaba.

Morrie asintió.

—Ahora déjeme preguntarle algo a usted —dijo Koppel—. ¿Ha visto mi programa alguna vez?

—Un par de veces, creo —dijo Morrie encogiéndose de hombros.

—¿Un par de veces? ¿No más?

—No se sienta mal. Sólo he visto a Oprah una vez.

—Bien. Y de las dos veces que vio mi programa, ¿qué pensó?

—¿Con franqueza? —dijo Morrie tras una pausa.

—Sí.

—Pensé que usted era un narcicista.

Koppel estalló en una carcajada.

—Soy muy feo para ser narcisista —dijo.

Las cámaras pronto estuvieron listas frente a la chimenea del salón, con Koppel en su traje azul bien cortado y Morrie con su suéter gris desaliñado. Se había negado a ponerse ropa llamativa o a que lo maquillaran para la entrevista. Su filosofía era que la muerte no debe ser motivo de vergüenza; no querría empolvarle la nariz.

Como Morrie estaba sentado en la silla de ruedas, la cámara nunca enfocó sus piernas inertes. Y como aún podía mover las manos —Morrie siempre hablaba gesticulando con las dos manos—, mostró gran entusiasmo al explicar cómo se enfrenta el final de la vida.

—Ted —dijo—, cuando todo esto empezó, me pregunté: "¿Me voy a retirar del mundo como la mayoría de la gente, o voy a vivir?" Decidí que iba a vivir como quiero —o por lo menos a tratar de hacerlo—, con dignidad, valor, humor y compostura. Hay mañanas en las que lloro y lloro y me lamento. Hay mañanas en las que estoy furioso y amargado. Pero eso no dura mucho. Me levanto y me digo: "Quiero vivir". Hasta ahora he sido capaz de hacerlo. ¿Podré seguir? No lo sé, pero me he propuesto como reto lograrlo.

Koppel parecía muy conmovido con Morrie. Le preguntó por la humildad que la muerte traía consigo.

—Verá, Fred —dijo Morrie por error, y se corrigió rápidamente—, digo, Ted...

—Bueno, eso sí que es provocar humildad —dijo Koppel, riéndose.

Hablaron sobre la vida después de la vida. Sobre la creciente dependencia de Morrie de otras personas. Ya entonces necesitaba ayuda para comer, para sentarse y para ir de un lugar a otro. Koppel le preguntó qué era lo que más temía de su lento e insidioso deterioro.

Morrie guardó silencio y luego preguntó si podía decir en televisión lo que estaba pensando.

Koppel le dijo que lo hiciera.

Morrie miró a los ojos al entrevistador más famoso de los Estados Unidos.

—Bueno, Ted, un día no muy lejano alguien tendrá que limpiarme el trasero.

El programa salió al aire un viernes por la noche. Comenzó con Ted Koppel detrás de su escritorio en Washington, con la voz resonante de autoridad.

—¿Quién es Morrie Schwartz y por qué al final de la noche tantos de ustedes van a estar preocupados por él? —dijo.

A muchos kilómetros de allí, en mi casa de la colina, yo cambiaba de un canal a otro sin orden ni concierto. Oí que las palabras salían de la televisión: "¿Quién es Morrie Schwartz?" y quedé perplejo.

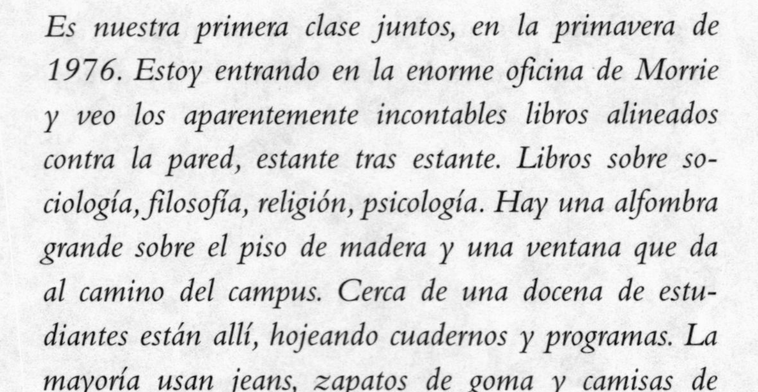

Es nuestra primera clase juntos, en la primavera de 1976. Estoy entrando en la enorme oficina de Morrie y veo los aparentemente incontables libros alineados contra la pared, estante tras estante. Libros sobre sociología, filosofía, religión, psicología. Hay una alfombra grande sobre el piso de madera y una ventana que da al camino del campus. Cerca de una docena de estudiantes están allí, hojeando cuadernos y programas. La mayoría usan jeans, zapatos de goma y camisas de cuadros. Me digo que no será fácil integrarse a un grupo tan pequeño. Tal vez no debería tomar esta clase.

—¿Mitchell? —dice Morrie, leyendo la lista de asistencia.

Levanto la mano.

—¿Prefieres Mitch o Mitchell?

Ningún profesor me había preguntado eso antes. Hago un gesto de sorpresa frente a este tipo con su suéter amarillo de cuello tortuga y pantalones de pana verde, el pelo plateado que le cae sobre la frente. Me sonríe.

—Mitch —le digo—. Mis amigos me dicen Mitch.

—Entonces, Mitch —dice Morrie, como quien cierra un trato—. Oye, Mitch…

—¿Sí?

—Espero que algún día me consideres como un amigo.

La inducción

Mientras me dirigía en el auto alquilado hacia la calle de Morrie en West Newton, un suburbio tranquilo de Boston, tenía una taza de café en una mano y el teléfono celular en la oreja, apoyado contra el hombro. Estaba hablando con un productor de televisión sobre un informe que estábamos haciendo. Mi mirada oscilaba entre el reloj digital —pues mi vuelo de regreso salía en pocas horas— y los números de los buzones en las calles bordeadas de árboles del suburbio. El radio del auto estaba encendido, sintonizado en la emisora que transmitía noticias durante las 24 horas. Así funcionaba yo, cinco cosas a la vez.

—Retrocede la cinta —le dije al productor—. Quiero oír esa parte otra vez.

—Está bien —dijo él—. Espera un instante.

De pronto pasé frente a la casa. Pisé el freno y me derramé un poco de café sobre las piernas. Mientras el auto se detenía, vislumbré un enorme arce japonés y tres figuras sentadas cerca, en la acera: un hombre joven, una mujer madura y entre ellos un anciano diminuto en una silla de ruedas.

Morrie.

Al ver a mi viejo maestro, me quedé helado.

—¿Aló? —dijo el productor en mi oído—. ¿Todavía estás ahí?

No lo había visto en dieciséis años. Tenía el cabello más fino, casi blanco, y la cara se le veía demacrada. De repente sentí que no estaba listo para esta reunión —además estaba hablando por teléfono— y esperé que Morrie no hubiera notado mi llegada, de manera que pudiera pasar de largo y dar unas cuantas vueltas a la manzana, para terminar mi conversación y prepararme mentalmente. Pero Morrie, esta nueva y marchita versión del hombre que yo había conocido tan bien, sonreía mientras miraba hacia el auto, con las manos sobre las piernas, esperando a que yo saliera.

—¿Estás ahí? —dijo el productor de nuevo.

Por todo el tiempo que pasamos juntos, por todo el cariño y la paciencia que Morrie me tuvo cuando era joven, yo debí haber colgado el teléfono y salido del automóvil corriendo, para abrazarlo y besarlo.

Pero en lugar de eso apagué el motor y me escurrí en el asiento, como si estuviera buscando algo.

—Sí, sí, aquí estoy —susurré, y seguí la conversación con el productor hasta el final.

Hice lo que mejor sabía hacer: atendí mi trabajo, mientras que mi profesor que se estaba muriendo me esperaba en el jardín de su casa. No me enorgullezco de haberlo hecho, pero fue lo que hice.

Cinco minutos más tarde, Morrie me abrazaba y su escaso cabello me rozaba la mejilla. Le dije que estaba buscando mis llaves, que eso era lo que me había detenido entre el auto, y lo apreté con mi abrazo como si con ello pudiera disolver mi mentira piadosa. A pesar de que el sol primaveral estaba tibio, Morrie llevaba puesto un rompevientos y una manta le cubría las piernas. Tenía un olor levemente agrio, como le pasa a veces a la gente que tiene que tomar medicinas. Como su cara estaba tan cerca de la mía, podía oír su trabajosa respiración en el oído.

—Mi viejo amigo —me susurró—, al fin regresaste.

Se meció contra mí, sin soltarme, agarrándome de los codos mientras yo me inclinaba hacia él. Semejante cariño me sorprendió después de tantos años, pero luego pensé que tras los muros de piedra que había construido entre mi presente y mi pasado, había olvidado lo cercanos que llegamos a ser. Recordé el día de mi graduación, el maletín, sus lágrimas al despedirnos, y pasé saliva porque en el fondo de mi corazón sabía que ya no era el estudiante bueno y talentoso que él recordaba.

Sólo esperé ser capaz de disimularlo durante las próximas horas.

Cuando entramos en la casa, nos sentamos en el comedor, alrededor de una mesa de nogal, cerca de una ventana desde la cual se veía la casa vecina. Morrie se movía en la silla de ruedas, tratando de ponerse cómodo. Como era su costumbre, quería darme de comer y yo acepté. Uno de sus ayudantes, una italiana maciza que se llamaba Connie, cortó pan y tomates y trajo recipientes con ensalada de pollo, hummus y tabouleh.

También trajo unas píldoras. Morrie las miró y suspiró. Tenía los ojos más hundidos de lo que yo recordaba, y los pómulos más pronunciados. Eso lo hacía ver más duro, más viejo; hasta que sonrió, claro, y las mejillas flácidas se plegaron como cortinas.

—Mitch —dijo con suavidad—, ya sabes que me estoy muriendo.

Yo lo sabía.

—Muy bien —dijo antes de tomarse las píldoras. Luego puso el vasito de papel en la mesa, inhaló con fuerza y dejó salir el aire—. ¿Te cuento lo que se siente?

—¿Lo que se siente? ¿Al morirse?

—Sí —dijo.

A pesar de que yo no me había dado cuenta de ello, nuestro último curso acababa de empezar.

Es mi primer año en la universidad. Morrie es más viejo que la mayoría de los profesores y yo soy más joven que la mayoría de los estudiantes, pues salí del colegio un año antes de lo usual. Para compensar mi juventud, uso buzos de hacer ejercicio, grises y viejos, boxeo en un gimnasio de los alrededores y ando por ahí con un cigarrillo sin encender entre los labios, a pesar de que no fumo. Tengo un automóvil destartalado y circulo con las ventanas abiertas y la música a todo volumen. Busco mi identidad en una actitud fuerte, pero es la suavidad de Morrie lo que me atrae, y como él no me ve como un niñito tratando de ser más de lo que soy, con él me siento relajado.

Termino ese primer curso con él y me inscribo

en otro. Morrie es flexible con las calificaciones; no le importan demasiado. Un año, según cuentan, durante la guerra de Vietnam, Morrie les puso la mejor nota a todos sus estudiantes hombres para ayudarles a mantener la prórroga para no prestar el servicio militar.

Empiezo a llamarlo "entrenador", tal como lo hacía con mi entrenador de atletismo en la secundaria. A Morrie le gusta el sobrenombre.

—Entrenador —dice—. Está bien, seré tu entrenador y tú podrás ser mi jugador. Podrás jugar todas las partes buenas de la vida, las cuales yo ya no puedo jugar porque estoy muy viejo.

A veces comemos juntos en la cafetería. Para mi sorpresa, Morrie es todavía más descuidado que yo. Habla en lugar de masticar, se ríe con la boca abierta, expresa una idea apasionada cuando tiene la boca llena de ensalada de huevo, y los pedacitos amarillos se le salen por entre los dientes.

Me parte de la risa. Siempre que estoy con él, tengo dos deseos inmensos: darle un abrazo y pasarle una servilleta.

El salón de clase

El sol entraba por la ventana del comedor e iluminaba el piso de madera. Habíamos estado hablando durante casi dos horas. El teléfono sonó una y otra vez y Morrie le pidió a su asistente, Connie, que contestara. Ella anotó los nombres de quienes llamaron en la libretica negra de Morrie. Amigos. Profesores de meditación. Un grupo de discusión. Alguien que le quería tomar una foto para una revista. Era evidente que yo no era el único interesado en visitar a mi profesor de antaño; su aparición en la televisión lo había convertido en una celebridad y yo estaba impresionado, y tal vez tenía también algo de envidia, por la cantidad de amigos que Morrie parecía tener. Pensé en mis "amigotes" de la la universidad. ¿Dónde se habrían metido?

—Tú sabes, Mitch, ahora que me estoy muriendo me he vuelto más interesante para la gente.

—Siempre fuiste interesante.

—¡Ja! —sonrió— Tan amable.

No, no lo soy, pensé.

—El asunto es éste —dijo—: La gente me ve como un puente. No estoy tan vivo como solía estarlo, pero todavía no estoy muerto. Estoy... como a mitad de camino.

Tosió y recuperó la sonrisa.

—Estoy a punto de emprender el último gran viaje y la gente quiere que le diga qué equipaje hay que preparar.

El teléfono sonó de nuevo.

—Morrie, ¿puedes pasar? —le preguntó Connie.

—Tengo a un viejo amigo de visita anunció—. Di que me llamen más tarde.

No sé por qué me recibió con tanto afecto. Yo ya no era el estudiante prometedor del que se había despedido hacía dieciséis años. Si no hubiera sido por el programa de televisión, Morrie habría muerto sin volverme a ver. No tenía una buena disculpa para justificar ese distanciamiento, fuera de la que todo el mundo da en esta época. Me había dejado envolver demasiado por el canto de sirena de mi propia vida. Estaba ocupado.

¿Qué me había pasado? Me pregunté. La voz aguda y envolvente de Morrie me llevó de vuelta a mis años de universidad, cuando pensaba que los ricos eran el diablo, que una camisa y una corbata eran uniformes de prisionero, y que no valía la pena vivir la vida sin la libertad de agarrar tus cosas e irte, con la motocicleta entre las piernas, la brisa en la cara, por las calles de París, hacia las montañas del Tíbet. ¿Qué me había pasado?

Los años ochenta habían pasado. Los noventa habían llegado. La muerte, la enfermedad, la gordura y la calvicie vinieron. Cambié muchos sueños por un cheque más jugoso y nunca me di cuenta de que lo hacía.

Pero ahí estaba Morrie, hablando con el mismo asombro de nuestros años de universidad, como si yo simplemente hubiera estado en unas vacaciones muy largas.

—¿Encontraste con quién compartir tu corazón? —preguntó—. ¿Le estás dando algo a tu comunidad? ¿Estás en paz contigo mismo? ¿Tratas de ser todo lo humano que puedes?

Me avergoncé mientras trataba de mostrarle que había estado luchando intensamente con esas preguntas. ¿Qué me había pasado? Una vez me había prometido a mí mismo que nunca trabajaría por dinero, que me iba a unir a los Cuerpos de Paz y que viviría en lugares hermosos e inspiradores.

En lugar de eso llevaba ya diez años en Detroit, trabajando en el mismo lugar, usando el mismo banco y yendo a la misma barbería. Tenía 37 años y era más eficiente que en la universidad, pero estaba atado a computadores, módems y teléfonos celulares. Escribía artículos sobre atletas millonarios a quienes les importaba un pepino la gente como yo. Ya no era joven entre mi grupo de amigos y no andaba por ahí con buzos grises y con un cigarillo sin encender en los labios. No discutía sobre el sentido de la vida alrededor de una ensalada de huevo.

Tenía los días copados, pero la mayor parte del tiempo no estaba satisfecho.

¿Qué me había pasado?

—Entrenador —dije de repente, recordando el sobrenombre.

—Ése soy yo. Aún soy tu entrenador —dijo Morrie sonriente.

Se rió y siguió comiendo, la comida que había empezado hacía cuarenta minutos. Lo observé. Sus manos trabajaban con cautela, como si las estuviera usando por primera vez. No podía hacer mucha presión con el cuchillo. Los dedos le temblaban. Cada mordisco era una lucha; masticaba mucho antes de tragar y a veces se le salían restos por las comisuras de los labios, de manera que tenía que devolver lo que tenía en el cubierto para limpiarse la cara con una servilleta. La piel entre la muñeca y los nudillos estaba moteada con manchas de edad y se veía floja, como la piel que cuelga de una presa de pollo entre una sopa.

Durante un rato comimos así, un anciano enfermo, un hombre más joven, saludable, ambos absorbiendo la quietud del cuarto. Diría que era un silencio embarazoso, pero yo parecía ser el único incómodo.

—La muerte —dijo Morrie de pronto—,

es sólo una cosa para ponerse triste, Mitch. Vivir insatisfecho es otra cosa. Tanta gente de la que viene a verme es infeliz.

—¿Por qué?

—Por un lado, la cultura que tenemos no hace que la gente se sienta feliz consigo misma. Estamos enseñando cosas equivocadas. Y hay que ser fuerte para decidir si la cultura sirve o no, para no aceptarla con los ojos cerrados. Crea tu propia cultura. La mayoría de la gente no puede hacerlo. Son más infelices que yo, incluso en esta situación. Puede ser que me esté muriendo, pero estoy rodeado de gente que me quiere y se preocupa por mí. ¿Cuánta gente puede decir eso?

Estaba asombrado por su total ausencia de autocompasión. Morrie, que ya no podía bailar, nadar, bañarse o caminar; Morrie, que ya no podía abrir ni la puerta de su casa, ni secarse después de darse una ducha, o darse la vuelta en la cama. ¿Cómo podía aceptar todo eso? Lo observé luchar con el tenedor, pinchar por fin un pedazo de tomate tras errar en los primeros dos intentos. Una escena patética y a pesar de todo no podía negar que estar frente a él me llenaba de una serenidad casi mágica, la misma brisa suave que me calmaba en la universidad.

Miré de reojo el reloj —la fuerza de la costumbre. Se me hacía tarde y pensé en cambiar mi vuelo de regreso. Luego Morrie dijo algo que aún me obsesiona.

—¿Sabes cómo me voy a morir? —dijo.

Levanté las cejas.

—Voy a morir asfixiado. Sí. Por culpa del asma, mis pulmones no pueden con esta enfermedad. Este mal me sube por el cuerpo. Ya se apoderó de mis piernas. Pronto tendrá mis brazos y manos, y cuando llegue a los pulmones... —se encogió de hombros— ...se acabará todo.

No supe qué decir, así que dije:

—Bueno, tú sabes… quiero decir... uno nunca sabe.

Morrie cerró los ojos.

—Yo sé, Mitch. Mi muerte no debe asustarte. He tenido una buena vida y todos sabemos que eso va a pasar. Tal vez me queden cuatro o cinco meses.

—Vamos —dije nervioso—. Nadie sabe...

—Yo sí —dijo suavemente—. Incluso hay una prueba. Un médico me la enseñó.

—¿Una prueba?

—Inhala unas pocas veces.

Hice lo que me decía.

—Ahora hazlo otra vez, pero esta vez, cuando exhales, cuenta cuánto puedes aguantar antes de respirar de nuevo.

Exhalé y comencé a contar rápidamente.

—Uno-dos-tres-cuatro-cinco-seis-siete-ocho... —llegué hasta setenta antes de que se me acabara el aire.

—Muy bien —dijo Morrie—. Tienes pulmones sanos. Ahora mira lo que me pasa a mí.

Inhaló y empezó a contar con voz temblorosa y baja.

—Uno-dos-tres-cuatro-cinco-seis-siete-ocho-nueve-diez-once-doce-trece-catorce-quince-dieciséis-diecisiete-dieciocho...

Se detuvo, jadeando sin aire.

—Cuando el médico me lo hizo por primera vez, llegue a veintitrés. Ahora voy en dieciocho.

Cerró los ojos, y movió la cabeza.

—Tengo el tanque casi vacío.

Me di unas palmaditas nerviosas en los muslos. Era suficiente para una tarde.

—Vuelve a visitar a tu viejo profesor —dijo Morrie cuando lo abracé para despedirme.

Prometí que lo haría y traté de no pensar en la última vez que había prometido lo mismo.

En la librería del campus, busco los libros que están en la lista de lectura del curso de Morrie. Compro libros que no sabía que existieran, con títulos como Juventud: identidad y crisis, Yo y tú, El ego dividido.

Antes de entrar a la universidad, yo no sabía que el estudio de las relaciones humanas se pudiera considerar académico. Hasta que conocí a Morrie no lo creí.

Pero su pasión por los libros es real y contagiosa. Empezamos a hablar en serio de vez en cuando, después de clase, cuando el salón se desocupa. Me pregunta por mi vida y luego cita a Erich Fromm, a Martin Buber, a Erik Erikson. Con frecuencia los cita y como nota de pie de página da su propia opinión, aunque obviamente él piensa las mismas cosas. Es en esos momentos en los que me doy cuenta de que él es en realidad un profesor y no un tío. Una tarde, me quejo de la confusión propia de mi edad, de lo que se espera de mí en contraste con lo que quiero para mí.

—¿Hemos hablado alguna vez de la tensión de los opuestos? —me dice.

—¿La tensión de los opuestos?

—La vida es como una sucesión de idas y venidas. Quieres hacer una cosa, pero debes hacer otra. Algo te hiere, pero sabes que no debería hacerlo. Das por hechas ciertas cosas, aunque sabes que no debes dar nada por sentado. La tensión de los opuestos, como un tirón en una banda de caucho. Y la mayoría de nosotros vive en alguna parte en el medio.

—Suena como una pelea de lucha libre— digo.

—Una pelea de lucha libre —se ríe—. Sí, podrías decir que la vida es eso.

—¿Y entonces qué lado gana?— pregunto.

—¿Quién gana?

Me sonríe, con sus arrugas alrededor de los ojos y sus dientes torcidos.

—El amor gana. El amor siempre gana.

Revisando la lista de asistencia

Unas semanas más tarde viajé a Londres. Tenía que cubrir el torneo de Wimbledon, la competencia de tenis más importante del mundo y uno de los pocos eventos a los que asisto donde la gente no abuchea a los demás y no hay borrachos en los estacionamientos. En Inglaterra el tiempo estaba cálido y nublado, y cada mañana caminaba por las calles bordeadas de árboles que llevaban a las canchas, entre jóvenes que esperaban boletas sobrantes y vendedores de fresas con crema. Junto a la puerta había un puesto de venta de periódicos que ofrecía media docena de coloridos tabloides británicos, con fotos de mujeres sin sostén, fotos de la familia real tomadas por los paparazzi, horóscopos, deportes, resultados de lotería y una pizca de noticias de actualidad. El titular del día estaba escrito con tiza en un tablerito que se apoyaba sobre la última pila de periódicos, y normalmente decía algo así como: "¡Diana de pelea con Carlos!" o "Gazza dice a su equipo: ¡denme millones!"

La gente se rapaba los tabloides, devoraba los chismes que traían y en viajes anteriores a Inglaterra yo siempre había hecho lo mismo. Pero ahora, por alguna razón, siempre que leía algo idiota o frívolo pensaba en Morrie. Me lo imaginaba en su casa, con el arce japonés y el piso de madera, contando mientras exhalaba, exprimiendo hasta la última gota de los momentos que pasaba con sus seres queridos, mientras yo gastaba tantas horas haciendo cosas que no significaban nada para mí: actores de cine, supermodelos, el último rumor sobre Lady Di o Madonna o John F. Kennedy Jr.

De alguna forma peculiar, yo envidiaba la calidad del tiempo de Morrie, aunque lamentaba que sus días estuvieran contados. ¿Por qué nos ocupábamos de todas esas distracciones? En los Estados Unidos, el juicio a O. J. Simpson acaparaba toda la atención, y había gente que renunciaba a su hora de almuerzo para verlo, y grababa el resto para poderlo ver por la noche. No conocían a O.

J. Simpson. No conocían a ninguno de los involucrados en el caso. Pero entregaban horas y días de sus vidas, engolosinados con el drama de otra persona.

Recordé algo que Morrie dijo cuando lo visité: "La cultura que tenemos no lleva a que la gente se sienta feliz consigo misma. Y hay que ser fuerte para decidir si la cultura sirve o no, para no aceptarla con los ojos cerrados".

Morrie, fiel a estas palabras, había desarrollado su propia cultura mucho antes de caer enfermo. Grupos de discusión, caminatas con amigos, ir a bailar al son de su música en la iglesia de Harvard Square. Comenzó un proyecto que se llamaba "Invernadero", a través del cual la gente pobre podía recibir tratamiento psicológico. Leía para buscar nuevas ideas para sus cursos, visitaba a sus colegas, se mantenía al tanto de lo que pasaba con sus antiguos estudiantes, les escribía a sus amigos que estaban lejos. Se tomaba más tiempo para comer y contemplar la naturaleza, y no malgastaba el tiempo viendo comedias de televisión o la película de la semana. Se había creado un capullo de actividades humanas —conversación, interacción, afecto— y eso llenaba su vida como un tazón de sopa que se desborda.

Yo también había desarrollado mi propia cultura: el trabajo. En Inglaterra hacía cuatro o cinco trabajos para los medios y lograba mantener cierto balance, como un equilibrista de circo. Pasaba ocho horas frente a un computador, alimentando a los Estados Unidos con mis historias. Luego hacía informes para televisión, paseando a mi equipo por Londres. También hacía informes para la radio, todas las mañanas y todas las tardes. Y ésta no era una carga anormal. A lo largo de los años, había convertido al trabajo en mi compañero y había dejado de lado todo lo demás.

En Wimbledon comía en mi cubículo de madera y ni pensaba en la comida. Un día especialmente desquiciado, un grupo de periodistas había estado tratando de acorralar a Andre Agassi y a su famosa novia, Brooke Shields, y a mí me había golpeado un fotógrafo británico que escasamente murmuró "Perdón", antes de seguir corriendo con los lentes metálicos colgados del cuello. Pensé en algo más que Morrie había dicho: "Hay tanta gente por ahí que vive una vida carente de significado. Parece que estuvieran medio dormidos, incluso cuando hacen cosas que son importantes para ellos. Y eso se debe a que van tras las cosas equivocadas. La manera de darle significado a la vida es dedicarnos a amar a los demás, dedicarnos a la comunidad que nos rodea, y dedicarnos a crear algo que nos dé un propósito y una razón de ser".

Sabía que estaba en lo cierto.

Pero yo no hacía nada a ese respecto.

Al final del torneo, y de las innumerables tazas de café que tomé para soportarlo, cerré el computador, limpié el cubículo y me fui al apartamento a empacar. Era tarde. En la televisión no había nada más que ruido.

Volví a Detroit, llegué al final de la tarde, no sé cómo llegué a mi casa y me acosté a dormir. Me desperté sobresaltado con la noticia de que los sindicatos del periódico para el cual trabajaba habían entrado en huelga. Las instalaciones estaban bloqueadas. Había guardias en la puerta que impedían la entrada y manifestantes cantando en la calle. Como miembro del sindicato, no tenía elección: de repente, y por primera vez en la vida, estaba sin trabajo, sin salario y me enfrentaba a mis patrones. Los dirigentes sindicales me llamaron a la casa para advertirme que no hiciera ningún contacto con mis antiguos editores, muchos de los cuales eran amigos míos, y me dijeron que les colgara si me llamaban para pedirme que intercediera por ellos.

—¡Vamos a pelear hasta lograr el triunfo! —juró el dirigente sindical, como si fuera un soldado.

Quedé deprimido y confundido. A pesar de que el trabajo para la radio y la televisión era un suplemento agradable, el periódico había sido mi vida, mi oxígeno; cuando veía mis historias impresas todas las mañanas, sabía que, por lo menos de esa forma, estaba vivo.

Ahora todo eso se había acabado. Y mientras la huelga continuaba, el primer día, el segundo, el tercero, había llamadas de preocupación y rumores de que podía durar meses. Todo mi mundo estaba patas arriba. Había competencias deportivas todas las noches, las cuales yo habría cubierto. En lugar de eso me quedaba en casa y las veía por televisión. Me había acostumbrado a pensar que los lectores necesitaban mi columna. Estaba asombrado al ver cómo las cosas seguían su curso normal sin mí.

Tras una semana así, tomé el teléfono y llamé a donde Morrie. Connie lo llevó hasta el teléfono.

—¿Vienes a visitarme? —dijo, pero sonó más como una afirmación que como una pregunta.

—Bueno. ¿Puedo?

—¿Qué tal el martes?

—El martes está bien —dije—. El martes es perfecto.

En mi segundo año, tomo dos cursos más con él. Vamos más allá del salón de clase y nos vemos de vez en cuando para conversar. Nunca había hecho eso con un adulto que no fuera pariente mío, y a pesar de eso me siento bien con Morrie y él también parece sentirse bien.

—¿A dónde vamos hoy? —me pregunta alegremente cuando entro en su oficina.

En primavera nos sentamos bajo un árbol frente al edificio de sociología, y en invierno nos sentamos en su escritorio, yo con mi buzo gris y tenis Adidas, y Morrie con zapatos de amarrar y pantalones de pana. Cada vez que conversamos, él me escucha divagar y luego trata de mostrarme algún tipo de lección de vida. Me advierte que el dinero no es lo más importante, al contrario de lo que cree la mayoría de la gente en el campus. Me dice que necesito ser "totalmente humano". Me habla de la alienación de la juventud y de la necesidad de una comunión con la sociedad que me rodea. Entiendo algunas de esas cosas, otras no. Pero no importa. Las discusiones me dan una excusa para hablar con él y tener conversaciones paternales que no puedo sostener con mi propio padre, a quien le gustaría que yo fuera abogado.

Morrie detesta a los abogados.

—¿Qué quieres hacer cuando termines la universidad? —me pregunta.

—Quiero ser músico —le digo—. Pianista.

—¡Maravilloso! —dice—. Pero ésa es una vida dura.

—Sí.

—Hay muchos avivatos.

—Eso es lo que me han dicho.

—Pero si de verdad es lo que quieres, tu sueño se hará realidad.

Quiero abrazarlo, darle las gracias por decir eso, pero no soy tan abierto. Sólo hago un gesto de afirmación.

—Seguro que tocas piano con mucho sabor —dice.

Me río.

—¿Sabor?

También se ríe.

—Sabor, en fin… ¿Ya no le dicen así?

El primer martes.
En el que hablamos del mundo

Connie me abrió la puerta. Morrie estaba sentado en la silla de ruedas cerca de la mesa de la cocina. Tenía puesta una camisa de algodón que le quedaba holgada y pantalones de hacer ejercicio aún más holgados. Se le veían así de amplios porque las piernas se le habían atrofiado tanto que ya ninguna ropa le quedaba bien. Uno podía rodear sus muslos con las dos manos y los dedos alcanzaban a tocarse. Si hubiera sido capaz de sostenerse en pie, no habría medido más de metro y medio y le hubieran quedado bien unos jeans para un niño de diez años.

—Te traje algo —le anuncié, mostrándole una bolsa de papel.

En el camino desde el aeropuerto me había detenido en un supermercado cercano y había comprado algo de pavo, ensalada de papas, ensalada de macarrones y bagels. Sabía que había suficiente comida en la casa, pero quería contribuir con algo. No podía ayudar a Morrie de ninguna otra manera. Y recordaba su afición por la comida.

—¡Tanta comida! —canturreó—. Muy bien. Ahora vas a tener que comer conmigo.

Nos sentamos a la mesa de la cocina, rodeados de sillas de mimbre. Esta vez, sin la necesidad de ponernos al día con dieciséis años de información, nos deslizamos rápidamente hacia los terrenos conocidos de nuestra conversación en la universidad. Morrie hacía preguntas y escuchaba mis respuestas, deteniéndose como un chef para adornar algo que yo había olvidado o que no había visto. Me preguntó por la huelga en el periódico y, como era de esperarse, no entendió por qué las dos partes no podían simplemente comunicarse y resolver los problemas. Le dije que no todo el mundo era tan inteligente como él.

De vez en cuando interrumpía para ir al

baño, un proceso que tomaba algo de tiempo. Connie lo llevaba en la silla hasta el baño, después lo levantaba de la silla y lo sostenía mientras él orinaba. Cada vez que volvía parecía cansado.

—¿Recuerdas que le dije a Ted Koppel que muy pronto alguien tendría que limpiarme el trasero cuando fuera al baño? —dijo.

Me reí.

—Uno no se olvida de un momento como ése —le dije.

—Pues creo que el día se acerca. Y eso me molesta.

—¿Por qué?

—Porque es la más clara muestra de dependencia: alguien que te limpie el trasero. Pero estoy trabajando en eso. Estoy tratando de disfrutar el proceso.

—¿Disfrutarlo?

—Sí. En últimas, voy a ser un bebé otra vez.

—Ésa es una manera única de mirar el asunto.

—Bueno, tengo que mirar la vida así ahora. Hay que aceptarlo. Ya no puedo salir de compras.

No puedo manejar mi cuenta bancaria, no puedo sacar la basura. Pero me puedo sentar aquí mientras mis días se reducen a pensar en lo que me parece importante de la vida. Tengo tanto el tiempo como la razón para hacerlo.

—Entonces —dije de maner cínica—, ¿debo suponer que la clave para encontrar el significado de la vida es dejar de sacar la basura?

Se rió y eso me produjo alivio.

Cuando Connie retiró los platos, mi vista cayó en una pila de periódicos que obviamente alguien había leído antes de mi llegada.

—¿Sigues manteniéndote al día en noticias? —pregunté.

—Sí —dijo Morrie—. ¿Te parece raro? ¿Crees que como me estoy muriendo ya no me debería importar lo que pasa en el mundo?

—Tal vez.

—Tal vez tengas razón —suspiró—. Tal vez no me debería importar. Después de todo, no voy a estar por aquí para ver en qué termina todo. Pero es difícil de explicar, Mitch. Ahora que estoy sufriendo, me siento más cerca de la gente que sufre.

La otra noche vi en televisión a unas personas en Bosnia que corrían por una calle, les disparaban, las mataban, eran víctimas inocentes... y me puse a llorar. Siento su angustia como si fuera la mía. No conozco a esa gente, pero... ¿cómo te lo explico? Me siento casi que atraído hacia ellos.

Se le humedecieron los ojos y traté de cambiar de tema, pero él se limpió la cara e hizo un gesto para tranquilizarme.

—Ahora lloro todo el tiempo —me dijo—. No te preocupes.

Increíble, pensé. Yo trabajaba en el mundo de las noticias. Cubría historias en las que había muertos. Entrevistaba a familiares dolientes. Incluso iba a funerales. Nunca lloré. Morrie lloraba por gente que sufría al otro lado del mundo. ¿Será eso lo que pasa al final? me pregunté. Tal vez la muerte es la gran fuerza igualadora, la única cosa que puede lograr que una persona llore por otra a quien no conoce.

Morrie se sonó ruidosamente.

—No te importa que un hombre llore, ¿cierto?

—No —dije, tal vez demasiado rápido.

Me sonrió con sarcasmo.

—¡Ay, Mitch! Vamos a ver si logro reblandecerte. Algún día te voy a mostrar que llorar no tiene nada de malo.

—Sí, claro —dije.

—Sí, claro —dijo él.

Nos reímos porque él solía decir lo mismo veinte años atrás. Sobre todo los martes. De hecho, los martes siempre habían sido nuestros días de estar juntos. La mayor parte de mis cursos con Morrie habían sido en martes, él atendía en su oficina los martes, y cuando escribí mi monografía final —que era casi toda inspirada por Morrie, desde el principio—, la revisábamos los martes en su oficina o en la cafetería, o en los escalones del edificio Pearlman.

Así que era apenas lógico que nos volviéramos a ver un martes, allí en la casa con el arce japonés al frente. Mientras me alistaba para irme se lo mencioné a Morrie.

—Somos gente de martes —dijo.

—Gente de martes —repetí.

Morrie sonrió.

—Mitch, me preguntaste por mi preocupación por gente que ni siquiera conozco, pero ¿quieres que te cuente qué es lo más importante que estoy aprendiendo con esta enfermedad?

—¿Qué?

—Lo más importante en la vida es aprender a dar amor y a recibirlo —bajó la voz hasta que se convirtió en un susurro—. Déjalo entrar. Creemos que no merecemos que nos quieran, creemos que si recibimos amor nos vamos a volver demasiado blandos. Pero un sabio que se llamaba Levine lo puso en las palabras precisas: "El amor es el único acto racional".

Lo repitió meticulosamente, haciendo una pausa para lograr un mayor efecto: "El amor es el único acto racional".

Asentí, como buen estudiante, y él exhaló débilmente. Me incliné para darle un abrazo. Y luego, aunque no era algo típico en mí, le di un beso en la mejilla. Sentí sus manos débiles en mis brazos y la fina aspereza del rastro de su bigote mal afeitado.

—¿Entonces vienes el próximo martes? —me dijo en un susurro.

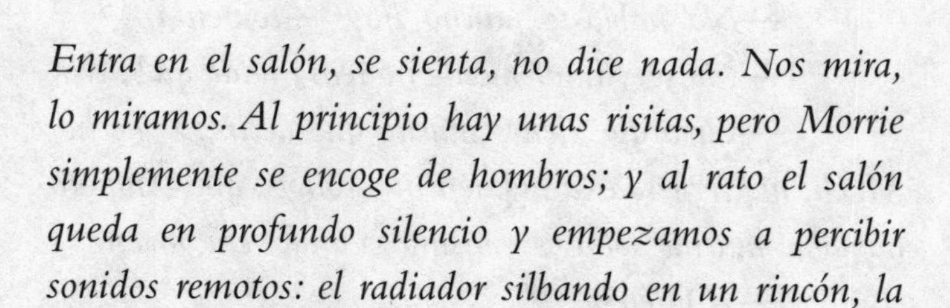

Entra en el salón, se sienta, no dice nada. Nos mira, lo miramos. Al principio hay unas risitas, pero Morrie simplemente se encoge de hombros; y al rato el salón queda en profundo silencio y empezamos a percibir sonidos remotos: el radiador silbando en un rincón, la respiración pesada de uno de los estudiantes gordos.

Algunos estamos incómodos. ¿Cuando va a decir algo? Nos movemos en los asientos, miramos el reloj. Unos cuantos miran por la ventana, tratando de aislarse de lo que sucede. Esto sigue durante quince minutos, antes de que Morrie interrumpa con un susurro.

—¿Qué pasa? —pregunta.

Y la discusión empieza poco a poco, tal como Morrie quería, sobre el efecto del silencio en las rela-

ciones humanas. ¿Por qué nos incomoda el silencio? ¿Por qué el ruido nos resulta más cómodo?

A mí no me molesta el silencio. A pesar del ruido que hago con mis amigos, no me siento capaz de hablar de mis sentimientos frente a otras personas, especialmente frente a mis compañeros de clase. Me puedo sentar callado durante horas si eso es lo que la clase exige.

A la salida Morrie me llama.

—No hablaste mucho hoy —comenta.

—No sé. Simplemente no tenía nada qué decir.

—Creo que tienes mucho qué decir. De hecho, Mitch, me recuerdas a alguien que conocí, que tampoco hablaba mucho sobre sí mismo cuando era joven.

—¿Quién?

—Yo.

El segundo martes.
En el que hablamos de tenerse lástima

Volví al siguiente martes. Y continué viniendo muchos otros martes. Esas visitas me ilusionaban más de lo que uno se hubiera imaginado, teniendo en cuenta que tenía que viajar más de mil kilómetros para sentarme frente a un hombre que se estaba muriendo. Pero cuando visitaba a Morrie era como si cayera en una dilatación del tiempo, y me sentía mejor conmigo mismo cuando estaba allí. Ya no alquilaba un teléfono celular para el viaje de ida y vuelta desde el aeropuerto. Que esperen, me dije, imitando a Morrie.

La situación del periódico en Detroit no había mejorado. Más bien, se había vuelto una locura, con enfrentamientos graves entre los huelguistas y los trabajadores que los estaban reemplazando. Había gente arrestada, golpeada, que se tendía en la calle frente a los camiones de repartición.

A la luz de esta situación, mis visitas a Morrie eran como un baño de amabilidad humana. Hablábamos de la vida y hablábamos del amor. Hablábamos de uno de los temas preferidos de Morrie: la compasión, y de por qué nuestra sociedad tenía tan poca. En mi tercera visita, me detuve en un mercado llamado "Pan y Circo" —había visto las bolsas en la casa de Morrie y supuse que le gustaba la comida de allá— y me aprovisioné de comida lista para llevar, cosas como vermicelli con verduras, sopa de zanahoria y baklava.

Cuando entré en el estudio de Morrie, alcé las bolsas como si acabara de asaltar un banco.

—¡Llegó la comida! —vociferé.

Morrie volteó a mirarme y me sonrió.

Mientras tanto yo buscaba señales del progreso de su enfermedad. Los dedos todavía estaban lo suficientemente bien como para escribir con lápiz, o sostener los anteojos, pero no podía levantar los brazos más allá de la altura del pecho. Pasaba cada vez menos tiempo en la cocina o en el salón y más en el estudio, donde tenía una silla reclinable con almohadas, mantas y trozos de espuma cortados a la medida para poner los pies y apoyar sus debilitadas piernas. Mantenía una campana a su lado y cuando necesitaba que le arreglaran la cabeza o tenía que ir al baño, tocaba la campana y Connie, Tony, Bertha o Amy, su ejército de ayudantes, llegaban en su ayuda. No siempre le resultaba fácil levantar la campana y se frustraba cuando no lograba hacerlo.

Le pregunté si le daba lástima verse así.

—A veces, por la mañanas —dijo—. Ahí es cuando me lamento. Siento mi cuerpo, muevo los dedos y las manos, cualquier cosa que todavía pueda mover, y me lamento por lo que he perdido. Me entristece la manera lenta e insidiosa en la que me estoy muriendo. Pero luego dejo de lamentarme.

—¿Así no más?

—Lloro un poco si lo necesito. Pero después me concentro en todas las cosas buenas que aún me quedan en la vida. En la gente que viene a verme. En las historias que voy a oír. En ti, si es martes, porque somos gente de martes.

Sonreí. Gente de martes.

—No me permito más autocompasión que ésa. Un poquito todas las mañanas, unas cuantas lágrimas y punto.

Pensé en toda la gente que conocía, que pasaba muchas de sus horas de vigilia sintiendo lástima por sí misma. Sería magnífico poner un límite diario a la autocompasión. Sólo unos minutos de lágrimas y luego a comenzar el día. Y si Morrie lo podía hacer, con semejante enfermedad tan horrible...

—Es horrible sólo si la miras de esa manera —dijo Morrie—. Es horrible ver cómo mi cuerpo se va marchitando hasta desaparecer. Pero también es maravillosa porque me da mucho tiempo para decir adiós —sonrió—. No todo el mundo tiene tanta suerte.

Lo miré, sentado en su silla, incapaz de sostenerse en pie, de lavarse, de quitarse los pantalones. ¿Afortunado? ¿De verdad dijo afortunado?

Durante una interrupción, cuando Morrie fue al baño, hojeé el periódico de Boston que estaba cerca de su silla. Había una historia de un pueblito maderero en el que dos jovencitas habían torturado y matado a un anciano de 73 años que se había hecho amigo de ellas, y después organizaron una fiesta en su carro-casa y exhibieron el cadáver. Había otra historia, sobre el juicio que enfrentaría un hombre que había matado a un homosexual luego de que éste último dijo en un programa de televisión que él le gustaba.

Dejé el periódico de lado. Morrie volvió, sonriendo como siempre, y Connie lo levantó de la silla de ruedas para pasarlo al sillón reclinable.

—¿Quieres que lo haga yo? —pregunté.

Hubo un instante de silencio y no estoy seguro de por qué me ofrecí a hacerlo, pero Morrie miró a Connie y le dijo:

—¿Puedes enseñarle cómo se hace?

—Claro —dijo Connie.

Seguí sus instrucciones: me incliné para pasar los brazos bajo las axilas de Morrie y lo alcé hacia mí, como quien levanta un gran tronco. Luego me enderecé, levantándolo conmigo.

Normalmente, cuando uno alza a alguien espera que esa persona lo agarre a uno con los brazos, pero Morrie no era capaz de hacerlo. Era como un bulto y sentí cómo su cabeza se apoyó suavemente contra mi hombro y su cuerpo se pegó al mío como un saco mojado.

—Mmmmmpf —gruñó.

—Ya voy, ya voy —dije.

Alzarlo así me conmovió de una manera indescriptible. Sólo puedo decir que sentí las semillas de la muerte dentro de ese cascarón que se desbarataba, y cuando lo dejé sobre el sillón y le arreglé la cabeza entre las almohadas, me di cuenta de que el tiempo se nos estaba acabando.

Y yo tenía que hacer algo.

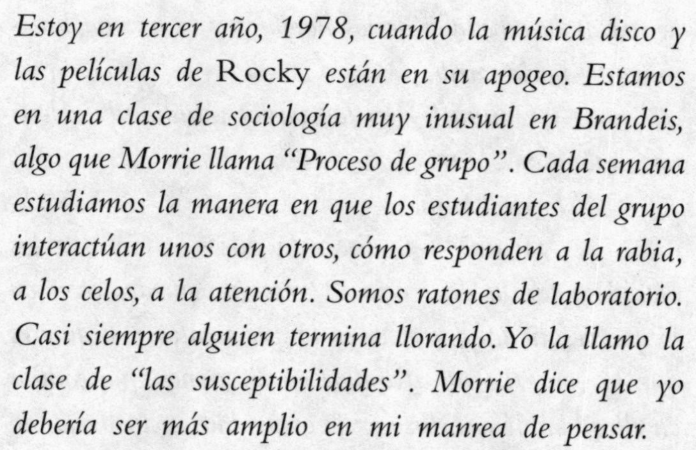

Estoy en tercer año, 1978, cuando la música disco y las películas de Rocky *están en su apogeo. Estamos en una clase de sociología muy inusual en Brandeis, algo que Morrie llama "Proceso de grupo". Cada semana estudiamos la manera en que los estudiantes del grupo interactúan unos con otros, cómo responden a la rabia, a los celos, a la atención. Somos ratones de laboratorio. Casi siempre alguien termina llorando. Yo la llamo la clase de "las susceptibilidades". Morrie dice que yo debería ser más amplio en mi manrea de pensar.*

En este día Morrie dice que tiene un ejercicio para que hagamos. Debemos pararnos de espaldas a nuestros compañeros y dejarnos caer hacia atrás, confiando en que otro estudiante nos reciba. La mayoría nos sentimos incómodos con el ejercicio y no nos dejamos ir hacia atrás más que unos centímetros antes de frenarnos. Nos reímos nerviosamente.

Al final, una estudiante flaquita, callada, de pelo oscuro y que casi siempre usa sacos blancos abultados, cruza los brazos sobre su pecho, cierra los ojos y se deja ir hacia atrás, sin rechistar, como una modelo de publicidad que se cae en una piscina.

Durante un instante estoy seguro de que se va a caer, pero en el último momento su compañero la agarra de la cabeza y de los hombros y la levanta bruscamente hacia arriba.

—¡Uuuuuf! —gritan varios estudiantes. Algunos aplauden.

Morrie sonríe.

—¿Viste? —le dice a la chica—. Cerraste los ojos. Ésa fue la diferencia. A veces no puedes creer en lo que ves, tienes que creer en lo que sientes. Y si quieres que la gente llegue a confiar en ti, tienes que confiar en ellos también, incluso en la oscuridad. Incluso cuando te estás cayendo.

El tercer martes.
En el que hablamos sobre el remordimiento

El martes siguiente llegué con las consabidas bolsas de comida —pasta con mazorca, ensalada de papas, pastel de manzana— y algo más: una grabadora Sony.

—Quiero recordar nuestras conversaciones —le dije a Morrie—. Quiero tener tu voz para así poderla escuchar después...

—Cuando me muera.

—No digas eso.

Se rió.

—Mitch, me voy a morir, y más temprano que tarde —contempló el aparato—. Es tan grande —dijo.

Me sentí como un intruso, como les suele

pasar a los reporteros, y empecé a pensar que una grabadora entre dos personas que supuestamente eran amigas era un objeto extraño, un oído artificial. Tal vez estaba tratando de sacar demasiado de estos martes, junto con todas esas otras personas que le pedían entrevistas.

—Mira —dije alzando la grabadora—, no tenemos que usarla. Si te incomoda...

Me detuvo, negó con el dedo y se quitó las gafas dejándolas colgar de la cuerdita que tenía alrededor del cuello. Me miró directamente a los ojos.

—Déjala ahí —me dijo.

La volví a poner en su sitio.

—Tú no entiendes, Mitch —me dijo suavemente ahora—. Quiero contarte acerca de mi vida. Quiero contarte antes de que ya no pueda hacerlo —su voz se apagó hasta que no fue más que un susurro—. Quiero que alguien oiga mi historia. ¿Tú querrías hacerlo?

Asentí.

Nos quedamos en silencio durante un instante.

—Entonces, ¿está encendida? —preguntó.

La verdad es que la grabadora era más que un asunto de nostalgia. Iba a perder a Morrie, todos íbamos a perder a Morrie: su familia, sus amigos, sus antiguos estudiantes, sus colegas, sus compañeros de los grupos de debate político que él quería tanto, sus antiguas parejas de baile, todos. Y supongo que las grabaciones, como las fotos y los vídeos, son un intento desesperado por robarle algo a la maleta de la muerte.

Pero también estaba empezando a entender —gracias al valor, al sentido del humor, a la paciencia y a la franqueza de Morrie— que él estaba observando la vida desde un punto de vista completamente distinto del que tenía toda la otra gente que yo conocía. Desde un punto de vista más sano. Más sensato. Y estaba a punto de morir.

Si al encarar la muerte uno alcanzaba cierta claridad mística de pensamiento, yo sabía que Morrie quería compartirla. Y yo quería recordarla tanto como pudiera.

La primera vez que vi a Morrie en *Nigthline*, me pregunté si habría tenido remordimientos cuando supo que su muerte era inminente. ¿Se habría arrepentido por haber perdido algunos amigos? ¿Habría hecho las cosas de otra manera? Pensé, de forma egoísta, que si yo estuviera en su lugar tal vez me consumiría pensando con tristeza en todo lo que había dejado pasar. ¿Me arrepentiría de los secretos que había guardado?

Cuando le mencioné eso a Morrie, él asintió.

—Eso es lo que le preocupa a todo el mundo, ¿cierto? ¿Qué pasaría si hoy fuera mi último día en este mundo?

Estudió mi cara y tal vez vio un sentimiento de ambivalencia hacia mis propias elecciones. Yo tenía la fantasía de que un día me desplomaría sobre el escritorio, a medio camino de una historia, y que los editores se llevarían mi artículo mientras los médicos sacaban mi cuerpo.

—¿Mitch? —dijo Morrie.

Sacudí la cabeza y no dije nada, pero él se dio cuenta de mi confusión.

—Mitch —dijo—, la cultura no te estimula a pensar en esas cosas sino hasta que estás a punto de morir. Estamos tan absortos en cosas egoístas —una carrera, una familia, conseguir suficiente dinero, pagar la hipoteca, conseguir un auto nuevo, arreglar la calefacción cuando se daña— que nos involucramos en trillones de cosas pequeñas sólo para seguir con la vida. Así que no tenemos el hábito de tomar distancia y contemplar nuestra vida y preguntarnos: "¿Eso es todo? ¿Esto es todo lo que quiero? ¿Me hace falta algo?"

Hizo una pausa.

—Necesitas a alguien que te empuje en esa dirección. Eso no va a pasar automáticamente.

Supe a qué se refería. Todos necesitamos maestros en la vida.

Y el mío estaba sentado frente a mí.

Pues bien, me dije, si iba a ser el estudiante, entonces iba a ser el mejor de todos.

En el avión de vuelta a casa ese día, hice una listica en una libreta de papel amarillo con cosas y preguntas con las que todos tenemos que lidiar, desde la felicidad hasta tener hijos y la muerte. Claro que había millones de libros de autoayuda sobre esos temas, y muchos programas de televisión por cable y costosas consultas particulares.

Nuestra sociedad se había convertido en un bazar persa de la autoayuda.

Pero aún no parecía haber respuestas claras. Uno no sabe si debe cuidar a los demás o a su "niño interior". Ni si debe volver a los valores tradicionales o rechazarlos por inútiles. Uno no sabe si ir tras el éxito o la sencillez. Uno no sabe si decir no, o sencillamente hacer las cosas.

Todo lo que sabía era que Morrie, mi viejo maestro, no estaba metido en el negocio de la autoayuda. Estaba en la carrilera y oía el silbido de la locomotora de la muerte que se acercaba, y tenía muy claras las cosas importantes de la vida.

Yo quería esa claridad. Todas las almas confundidas y torturadas que conocía querían esa claridad.

"Pregúntame lo que quieras" solía decir Morrie.

Así que hice mi lista:

Muerte

Miedo

Envejecer

Avaricia

Matrimonio

Familia
Sociedad
Perdón
Una vida con sentido

La lista estaba en mi maleta cuando llegué a West Newton por cuarta vez, un martes de finales de agosto, y el aire acondicionado del aeropuerto Logan no funcionaba, y la gente se abanicaba y se limpiaba el sudor de la frente con rabia, y todas las caras tenían expresión de estar listas para matar a alguien.

Al comienzo de mi último año, he tomado tantos cursos de sociología que sólo me faltan unos pocos créditos para conseguir el grado. Morrie me sugiere que intente hacer una tesis de licenciatura.

—¿Yo? —pregunto—. ¿Sobre qué voy a escribir?

—¿Qué te interesa? —me dice.

Jugamos con la idea hasta que finalmente nos ponemos de acuerdo en el tema de los deportes, entre muchas otras cosas. Empiezo un trabajo sobre cómo el fútbol americano se ha convertido en los Estados Unidos en un ritual, casi una religión, un opio del pueblo. No tengo ni la menor idea de que esto será un entrenamiento para mi carrera posterior. Sólo sé que me da otra sesión una vez por semana con Morrie.

Y con su ayuda, para la primavera tengo una tesis de 112 páginas, con investigación, notas de pie de página y documentación, pulcramente empastada en cuero negro. Se la muestro a Morrie con el orgullo de un jugador novato que corre por las bases para anotar su primer jonrón.

—Te felicito —dice Morrie.

Sonrío mientras la hojea y curioseo por su oficina. Las bibliotecas, el piso de madera, la alfombra, el sofá. Pienso que me he sentado prácticamente en todos los lugares en los que uno se puede sentar en esta oficina.

—No sé, Mitch —musita Morrie ajustándose las gafas—. Con un trabajo como éste tal vez te tendremos pronto por aquí para hacer un postgrado.

—Sí, claro —digo.

Me río para mis adentros, pero por un instante la idea me gusta. Hay una parte de mí que tiene miedo de dejar la universidad. La otra parte quiere irse con desesperación. La tensión de los opuestos. Observo a Morrie mientras lee mi tesis y me pregunto cómo será el mundo allá afuera.

El audiovisual, segunda parte

Nightline hizo otro programa con Morrie, en parte porque la acogida del primero fue impresionante. Esta vez, cuando los camarógrafos y los productores llegaron se sintieron como de la familia. Y el mismo Koppel estuvo mucho más afectuoso. No hubo tanteo del terreno, ni entrevista antes de la entrevista. A manera de calentamiento, Koppel y Morrie intercambiaron historias sobre su infancia: Koppel habló de su niñez en Inglaterra, y Morrie, de la suya en el Bronx. Morrie llevaba puesta una camisa azul de manga larga —casi siempre tenía frío, aunque afuera hicieran más de 30°C—, pero Koppel se quitó la chaqueta e hizo la entrevista de corbata y en mangas de camisa. Era como si Morrie lo estuviera descifrando, capa por capa.

—Te ves bien —dijo Koppel cuando la cámara empezó a rodar.

—Eso me dice todo el mundo —dijo Morrie.

—Te oyes bien.

—Eso me dice todo el mundo.

—Entonces, ¿cómo sabes que vas cuesta abajo?

—Eso sólo lo puedo saber yo, Ted. Y lo sé —dijo Morrie tras un suspiro.

A medida que hablaba, se fue haciendo evidente. Ya no hacía gestos con las manos para resaltar algo con la misma libertad que en su primera conversación. Tenía dificultad para pronunciar ciertas palabras; parecía que el sonido se le quedara atorado en la garganta. En unos meses ya no sería capaz de hablar.

—Así es como funcionan mis sentimientos —le dijo Morrie a Koppel—. Cuando estoy rodeado de amigos y gente, estoy de muy buen ánimo. Las relaciones de afecto me sostienen. Pero hay días en los que me siento deprimido. No dejes que te engañe. Veo que pasan ciertas cosas y me invade una sensación de terror. ¿Qué voy a hacer sin mis manos? ¿Qué va a pasar cuando no pueda hablar? Tragar, eso no me importa mucho pues me alimentarán a través de un tubo. Pero ¿y mi voz? ¿Mis manos? Son una parte tan importante de mí. Hablo con la voz. Gesticulo con las manos. Así es como me doy a la gente.

—¿Cómo vas a hacer para darte cuando ya no puedas hablar? —preguntó Koppel.

—Tal vez haré que me pregunten cosas a las que pueda contestar sí o no —dijo Morrie, encogiéndose de hombros.

Era una respuesta tan simple que Koppel tuvo que sonreír. Le preguntó a Morrie por el silencio. Le mencionó a uno de sus amigos cercanos, Maurie Stein, que fue quien envió los aforismos de Morrie por primera vez al *Boston Globe.* Los dos habían estado juntos en Brandeis desde los años sesenta. Ahora Stein se estaba quedando sordo. Koppel se imaginó a los dos hombres juntos, el uno incapaz de hablar y el otro incapaz de oír. ¿Cómo sería eso?

—Nos tomaremos de la mano —dijo Morrie— y habrá mucho afecto pasando entre uno y otro. Ted, llevamos 35 años de amistad. No se necesita hablar para sentir eso.

Antes de que el programa terminara, Morrie le leyó a Koppel una de las cartas que había recibido. A partir del primer programa, había llegado mucha correspondencia. Una carta en particular venía de una profesora de escuela que tenía un grupo de nueve niños con un rasgo en común: todos habían sufrido la muerte de uno de sus padres.

—Esto es lo que yo le escribí —dijo Morrie, mientras se ponía las gafas con lentitud—. "Querida Bárbara: Su carta me conmovió mucho. Creo que el trabajo que hace con niños que han perdido a uno de sus padres es muy importante. Yo también perdí a uno de los míos cuando era muy joven".

De repente, con las cámaras grabando, Morrie se ajustó las gafas. Se detuvo, se mordió los labios y empezó a toser. Las lágrimas le rodaron por la nariz.

—"Perdí a mi madre cuando era un niño... y fue un gran golpe para mí... Quisiera haber tenido un grupo como el suyo para poder hablar de mis tristezas. Me hubiera unido a su grupo porque..."

Se le quebró la voz.

—"...porque estaba tan solo..."

—Morrie —dijo Koppel—, eso fue hace setenta años. ¿Todavía sientes ese dolor?

—Pues claro —susurró Morrie.

El profesor

Tenía ocho años. Llegó un telegrama del hospital y como su padre, un inmigrante ruso, no sabía leer en inglés, Morrie le tuvo que dar la noticia leyendo el telegrama de la muerte de su madre como un estudiante frente a su clase. "Lamentamos informarle que...", empezó.

La mañana del funeral, los familiares de Morrie bajaron las escaleras del inquilinato en el barrio pobre del Lower East Side, en Manhattan. Los hombres iban de vestido oscuro, las mujeres llevaban velos. Los niños de la vecindad salían para la escuela y, al pasar, Morrie iba con la cabeza gacha pues lo avergonzaba que sus compañeros lo vieran así. Una de sus tías, una mujer robusta, agarró a Morrie y empezó a llorar: "¿Qué vas a hacer sin tu madre? ¿Qué va a ser de ti?"

Morrie se puso a llorar. Sus compañeros se alejaron corriendo.

En el cementerio, Morrie observó cuando echaron tierra en la tumba de su madre. Trató de recordar los momentos hermosos que habían compartido cuando ella estaba viva. Ella trabajaba en una tienda de dulces hasta que se enfermó, después de lo cual dormía mucho o se sentaba junto a la ventana casi todo el tiempo. Se veía frágil y débil. A veces llamaba a su hijo a gritos para que le trajera un remedio, y el joven Morrie, que jugaba béisbol en la calle, pretendía no oírla. Él creía que si hacía caso omiso de la enfermedad, ésta desaparecería.

¿De qué otra forma puede un niño enfrentarse a la muerte?

El padre de Morrie, a quien todos llamaban Charlie, había venido a los Estados Unidos para escapar del ejército ruso. Trabajaba en el negocio de las pieles, pero constantemente estaba sin trabajo. No tenía educación y a duras penas hablaba inglés. Era muy pobre y la familia casi siempre tenía que recurrir a la caridad pública. El apartamento en el que vivían era oscuro y estrecho, en la parte de atrás de la tienda de dulces. No tenían lujos. Ni auto. A veces, para ganar dinero, Morrie y su hermanito, David, lavaban los escalones de las entradas por unas monedas.

Tras la muerte de su madre, los dos niños fueron enviados a un pequeño hotel en los bosques de Connecticut, donde varias familias compartían una cabaña grande y una cocina comunal. El aire fresco les podía sentar bien a los niños, pensaron los parientes. Morrie y David nunca habían visto tanto verde y corrían y jugaban en los campos. Una noche, después de la cena, salieron a caminar y empezó a llover. En lugar de refugiarse bajo techo, se quedaron afuera jugando en la lluvia durante horas.

A la mañana siguiente, cuando se despertaron, Morrie saltó de la cama.

—Ven —le dijo a su hermano—. ¡Levántate!

—No puedo.

—¿Cómo así?

La cara de David se veía aterrada.

—No puedo... moverme.

Tenía polio.

Desde luego, la lluvia no había causado eso. Pero un niño de la edad de Morrie no lo podía entender. Durante mucho tiempo, en el cual su hermano iba y venía de un hogar especial y tuvo que empezar a usar un aparato ortopédico que lo hacía cojear, Morrie se sintió responsable.

Por eso en las mañanas iba a la sinagoga —iba solo porque su padre no era muy religioso— y se quedaba entre los hombres que se mecían en sus largas túnicas negras, pidiéndole a Dios que cuidara a su madre muerta y a su hermano enfermo.

Y en las tardes se instalaba al pie de las escaleras del metro a vender revistas, y llevaba a casa todo lo que ganaba para comprar comida.

En las noches miraba a su padre comer en silencio, esperando, sin conseguirlo nunca, una muestra de afecto, de comunicación, de calidez.

A los nueve años sentía que tenía el peso de una montaña sobre los hombros.

Un abrazo salvador llegó a la vida de Morrie al año siguiente: su nueva madrastra, Eva. Era una inmigrante rumana, bajita y de rasgos simples, con cabello café crespo y la energía de dos mujeres. Emitía un brillo que entibiaba la opaca atmósfera creada por su padre. Ella hablaba cuando su nuevo marido guardaba silencio, les cantaba a los niños por las noches. Morrie se consoló con su voz cariñosa, sus lecciones, su carácter fuerte. Cuando su hermano volvió del sanatorio, aún con los aparatos ortopédicos, los dos dormían en una cama plegable en la cocina del apartamento y Eva les daba el beso de las buenas noches. Morrie esperaba esos besos con la expectativa de un cachorro que espera su leche, y sentía, muy en el fondo de su ser, que otra vez tenía una madre.

Sin embargo, no había manera de escapar de la pobreza. Ahora vivían en el Bronx, en un apartamento de una alcoba en un edificio de ladrillo rojo en Tremont Avenue, al lado de una cervecería italiana en la que los viejos jugaban boccie en las noches de verano. Debido a la Depresión, el padre de Morrie cada vez tenía menos trabajo en el negocio de las pieles. A veces cuando la familia se sentaba a la mesa, lo único que Eva podía darles de comer era pan.

—¿Qué más hay? —preguntaba David.

—Nada más —contestaba ella.

Cuando arropaba a Morrie y a David en la cama, les cantaba en yiddish. Incluso las canciones eran tristes y pobres. Había una de una niña que trataba de vender cigarrillos:

Por favor, cómprenme cigarrillos.
Están secos, y no mojados por la lluvia.
Tengan piedad de mí, tengan piedad de mí.

Pero a pesar de las circunstancias, a Morrie le enseñaron a querer y a preocuparse por los demás. Y a aprender. Eva no aceptaba sino la excelencia en la escuela, porque veía en la educación el único antídoto contra la pobreza. Ella misma iba a la escuela nocturna para mejorar su inglés. El amor de Morrie por la educación se incubó en brazos de Eva.

Él estudiaba por las noches, a la luz de la lámpara en la mesa de la cocina. Y por las mañanas iba a la sinagoga a rezar el Yizkor, la oración por los muertos, en memoria de su madre. Hacía esto para mantener vivo su recuerdo. Aunque parezca increíble, su padre le había dicho que no volviera a hablar de su madre. Charlie quería que David pensara que Eva era su madre natural.

Ésa era una carga pesada para Morrie. Durante años, la única evidencia que Morrie tuvo de su madre fue el telegrama que anunciaba su muerte. Lo había escondido el día que llegó.

Lo guardaría por el resto de su vida.

Cuando Morrie se convirtió en un adolescente, su padre lo llevó a la fábrica de pieles en la que trabajaba. Fue durante la Depresión. La idea era conseguirle un trabajo.

Entró en la fábrica e inmediatamente sintió que los muros se cerraban a su alrededor. El cuarto era oscuro y caliente, las ventanas estaban cubiertas de mugre y las máquinas estaban apretujadas, girando como ruedas de tren. Los pelos de las pieles flotaban en el aire, haciéndolo denso, y los trabajadores que cosían los cueros se inclinaban sobre las agujas mientras el capataz iba y venía por entre las filas, gritándoles para que se apuraran. Morrie escasamente podía respirar. Estaba de pie, al lado de su padre, helado de miedo, esperando que el capataz no le gritara a él también.

Durante el almuerzo, su padre lo llevó a donde el capataz y lo empujó frente a él, mientras preguntaba si habría trabajo para su hijo. Pero a duras penas había trabajo para los obreros adultos y ninguno lo iba a ceder.

Esto fue una bendición para Morrie. El lugar le pareció horrible. Hizo otro voto que mantuvo hasta el fin de sus días: nunca iba a hacer un trabajo que explotara a alguien más, y nunca iba a hacer dinero a costa del sudor de otros.

—¿Qué vas a hacer? —le había preguntado Eva.

—No sé —dijo él.

Descartó el derecho porque no le gustaban los abogados, y descartó la medicina porque no soportaba ver sangre.

—¿Qué vas a hacer?

Fue por azar que el mejor profesor que tuve se convirtió en maestro.

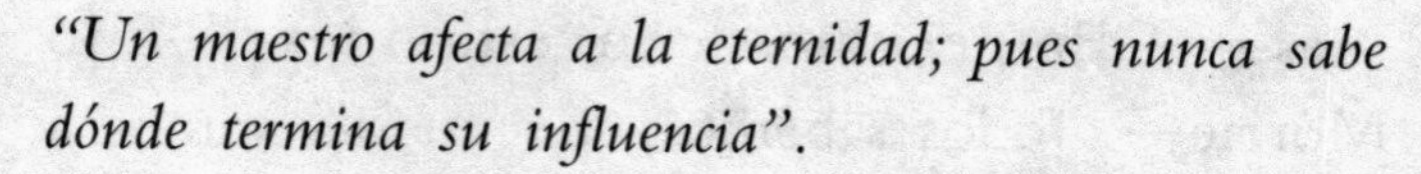

"Un maestro afecta a la eternidad; pues nunca sabe dónde termina su influencia".

HENRY ADAMS

El cuarto martes. *En el que hablamos de la muerte*

—Empecemos con esta idea —dijo Morrie—. Todos sabemos que un día vamos a morir, pero nadie lo cree.

Ese martes Morrie tenía un tono de hombre de negocios. El tema era la muerte, el primero de mi lista. Antes de que yo llegara, Morrie había garabateado unas notas en pedacitos de papel para no olvidar nada. Su escritura temblorosa se había vuelto indescifrable para todo el mundo menos para él. El mes de septiembre se acercaba y por la ventana del estudio veía los setos color espinaca del patio de atrás, y oía las voces de los niños jugando en la calle, en su última semana de libertad antes de que empezara la escuela.

En Detroit, los huelguistas del periódico estaban planeando una enorme manifestación para demostrar la solidaridad de los sindicatos contra los directivos. Durante el vuelo había leído la historia de una mujer que había matado de un tiro a su esposo y a sus dos hijas mientras dormían, alegando que era para protegerlos de la "gente mala". En California, los abogados del caso de O. J. Simpson se estaban convirtiendo en celebridades.

Aquí en el estudio de Morrie, la vida transcurría gota a gota. Ahora nos sentábamos juntos, a poca distancia de la más reciente adquisición de la casa: un tanque de oxígeno. Era pequeño y portátil y daba a la altura de la rodilla. A veces, cuando no tenía suficiente aire para pasar saliva, Morrie se ponía el largo tubo de plástico en la nariz, como una sanguijuela que se adhiriera a sus fosas nasales. Yo odiaba la idea de Morrie atado a cualquier clase de máquina y trataba de no mirar el tubo mientras hablaba.

—Todos sabemos que vamos a morir —dijo de nuevo—, pero nadie lo cree. Si lo hiciéramos, haríamos las cosas de manera distinta.

—Así que nos engañamos con la muerte —dije.

—Sí. Pero hay un punto de vista mejor: saber que vamos a morir y estar preparados para ello en cualquier momento. Eso es mejor. De esa manera uno puede involucrarse más en su vida mientras la vive.

—¿Cómo puede uno prepararse para morir?

—Haz lo que hacen los budistas. Cada día ponte un pajarito en el hombro que te pregunte: "¿Hoy es el día? ¿Estoy listo? ¿Estoy haciendo todo lo que necesito? ¿Soy la persona que quiero ser?"

Volteó la cabeza hacia el hombro, como si el pajarito estuviera allí.

—¿Será hoy el día de mi muerte? —dijo.

Morrie tomaba préstamos de todas las religiones. Había nacido judío, pero se convirtió en agnóstico cuando era adolescente, en parte por todo lo que le aconteció en la niñez. Disfrutaba con algunas filosofías budistas y cristianas, y aún se sentía bien, desde el punto de vista cultural, con el judaísmo. Era un híbrido en cuanto a religiones se refiere, y eso hizo que fuera aún más receptivo con los estudiantes a los cuales enseñó durante años. Y lo que decía en sus últimos meses parecía trascender todas las diferencias religiosas. La muerte suele hacer eso.

—La verdad, Mitch, es que cuando aprendes a morir, aprendes a vivir.

Yo asentí.

—Voy a decirlo otra vez —dijo—. Cuando aprendes a morir, aprendes a vivir.

Sonrió y entendí lo que estaba haciendo. Estaba asegurándose de que yo absorbiera este punto, sin necesidad de preguntar. Era parte de lo que lo hacía un buen profesor.

—¿Pensabas mucho en la muerte antes de enfermarte? —pregunté.

—No —dijo Morrie sonriendo—. Yo era como los demás. Una vez le dije a un amigo en un momento de exaltación: "Voy a ser el anciano más saludable del mundo".

—¿Cuántos años tenías?

—Sesenta y pico.

—Entonces eras optimista.

—Y ¿por qué no? Como dije antes, nadie cree que en realidad vaya a morir.

—Pero todo el mundo conoce a alguien que ha muerto —dije—. ¿Por qué es tan difícil pensar en la muerte?

—Porque la mayoría de nosotros andamos por la vida como sonámbulos —continuó Morrie—. En realidad no disfrutamos plenamente del mundo, porque estamos medio dormidos, haciendo lo que automáticamente creemos que tenemos que hacer.

—¿Y enfrentarse a la muerte cambia todo eso?

—Sí, claro. Te quitas de encima todas esas cosas y te fijas en lo esencial. Cuando uno se da cuenta de que se va a morir, ve las cosas de una manera completamente distinta —suspiró—. Aprende a morir, y habrás aprendido a vivir.

Noté que ahora las manos le temblaban cuando las movía. Las gafas le colgaban del cuello y cuando las levantaba para ponérselas se le resbalaban en las sienes, como si estuviera tratando de ponérselas a otra persona en la oscuridad. Le ayudé a cuadrárselas sobre las orejas.

—Gracias —dijo en voz baja.

Sonrió cuando mi mano rozó su cabeza.

El más leve contacto con otra persona le producía un enorme gozo.

—Mitch, ¿te puedo decir una cosa?

—Claro —dije.

—Puede ser que no te guste.

—¿Por qué no?

—Lo cierto es que, si realmente escucharas a ese pajarito en tu hombro, si aceptaras que puedes morir en cualquier momento, tal vez no fueras tan ambicioso como lo eres.

Sonreí forzadamente.

—Las cosas en las que gastas tanto tiempo, todo tu trabajo, no te parecería tan importante. Tendrías que buscar tiempo para cosas más espirituales.

—¿Cosas espirituales?

—Odias esa palabra, ¿no? 'Espiritual'. Piensas que es algo cursi, meloso.

—Pues... —dije.

Trató de guiñarme un ojo, pero no lo logró y yo no pude contener una carcajada.

—Mitch —dijo riéndose también—, yo tampoco sé muy bien lo que quiere decir "desarrollo espiritual". Pero sé que de alguna manera somos deficientes. Estamos demasiado inmersos en cosas materiales y esas cosas no nos satisfacen. Las relaciones de afecto, el universo que nos rodea, esas cosas las damos por sentadas.

Señaló con la cabeza hacia la ventana, por donde entraba la luz del sol.

—¿Ves eso? Puedes salir allá afuera cuando quieras. Puedes correr por la calle de un lado a otro, como loco. Yo no puedo hacer eso. No puedo salir. No puedo correr. No puedo estar allá afuera sin miedo de enfermarme. Pero ¿sabes qué? Yo disfruto esa ventana más que tú.

—¿La disfrutas?

—Sí. Miro todos los días por esa ventana. Voy notando los cambios de las estaciones en los árboles; si sopla el viento. Es como si viera pasar el tiempo a través de esa ventana. Porque sé que mi tiempo se está acabando, la naturaleza me atrae como si la viera por primera vez.

Hizo una pausa y los dos miramos hacia afuera. Traté de ver lo que él veía. Traté de ver el tiempo y las estaciones, mi vida en cámara lenta. Morrie bajó la cabeza y la giró hacia su hombro.

—¿Será hoy, pajarito? ¿Será hoy?

Morrie recibía cartas de todas partes, gracias a las apariciones en televisión. Cuando se sentía en ánimo de hacerlo, se sentaba a dictar las respuestas a amigos o parientes que se reunían a su alrededor para sus sesiones epistolares.

Un domingo en el que sus hijos, Rob y Jon, estaban en casa, se reunieron todos en la sala. Morrie estaba en su silla de ruedas, con las delgadas piernas bajo una manta. Cuando le dio frío, uno de sus asistentes le puso una chaqueta de nylon sobre los hombros.

—¿Cuál es la primera carta? —dijo Morrie.

Un colega leyó una nota de una mujer que se llamaba Nancy, que había perdido a su madre por la misma enfermedad de Morrie. Ella escribía diciendo cuánto había sufrido con la pérdida y cómo sabía lo que debía estar sufriendo Morrie.

—Muy bien —dijo Morrie cuando la lectura terminó—. Empecemos con "Querida Nancy: me conmovió mucho la historia de su madre. Y entiendo por lo que tuvo que pasar. Hay tristeza y sufrimiento para ambas partes. Sentir ese dolor ha sido bueno para mí, y espero que para usted también".

—Tal vez quieras cambiar esa última línea —dijo Rob.

Morrie lo pensó un momento y luego dijo:

—Tienes razón. Qué tal "Espero que pueda encontrar el poder curativo del dolor". Eso está mejor, ¿cierto?

Rob asintió.

—Agrega "Gracias, Morrie" —dijo.

Había una carta de una mujer llamada Jane, que le agradecía por la inspiración que le había dado a través del programa. Se refería a él como a un profeta.

—Ése es un elogio enorme —dijo un colega—. Un profeta.

Morrie hizo un gesto. Obviamente no estaba de acuerdo con el comentario.

—Di que le agradezco su alabanza. Y que me alegra que mis palabras hubieran tenido significado para ella. Y no te olvides de terminar con "Gracias, Morrie".

Había una carta de un hombre en Inglaterra, que había perdido a su madre y le pedía a Morrie que le ayudara a buscarla a través del mundo espiritual. Había otra de una pareja que quería ir a Boston para conocer a Morrie. Había una larga carta de una antigua estudiante de postgrado, que le contaba de su vida después de terminar la universidad. Le contaba de un suicidio y de tres partos en los que los bebés habían nacido muertos. Le contaba de una madre que había muerto de la misma enfermedad que él. Expresaba el miedo que ella, la hija, tenía de contraer también la enfermedad. Y seguía y seguía. Dos páginas. Tres páginas. Cuatro páginas.

Morrie guardó silencio a lo largo de la prolongada y deprimente historia. Cuando finalmente acabó, dijo suavemente:

—Y ¿qué vamos a contestar?

El grupo quedó en silencio, hasta que Rob dijo:

—¿Qué tal "Gracias por tu larga carta"?

Todos se rieron. Morrie miró a su hijo y sonrió.

El periódico que está cerca de la silla de Morrie tiene una foto de un beisbolista de Boston que sonríe luego de ganar un partido. De todas las enfermedades, pienso, Morrie contrae una que tiene el nombre de un atleta.

—¿Recuerdas a Lou Gehrig? —le pregunto.

—Lo recuerdo en el estadio, despidiéndose.

—Así que recuerdas la famosa frase.

—¿Cuál?

—Vamos, Lou Gehrig, el "orgullo de los Yankees". El discurso que resuena en los altavoces.

—Recuérdamelo —dice Morrie—. Repite el discurso.

Oigo el camión de la basura a través de la ventana abierta. A pesar de que hace calor, Morrie lleva manga larga, tiene una manta sobre las piernas y la piel pálida. La enfermedad lo posee.

Levanto la voz e imito a Gehrig, tratando de lograr el mismo efecto de las palabras que rebotan contra los muros del estadio:

—Hoooooy..... me sieeentoooooo... el hombre más afortunado-nado-nado .... del mundo-o-o.

Morrie cierra los ojos y asiente lentamente.

—Sí. Bueno, yo no dije eso.

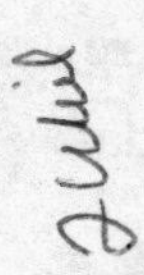

El quinto martes.
En el que hablamos de la familia

Era la primera semana de septiembre, la semana de volver a la escuela, y luego de 35 otoños consecutivos mi viejo maestro no tenía un grupo de alumnos esperándolo en la universidad. Boston era un hervidero de estudiantes, con automóviles estacionados en doble fila en las calles laterales, descargando los baúles. Y allí estaba Morrie en su estudio. Eso no parecía estar bien, como sucede con esos futbolistas que finalmente se retiran y tienen que pasar el primer domingo en casa, viendo televisión y pensando "Todavía puedo hacer eso". Mi experiencia con estos jugadores me ha enseñado que lo mejor es dejarlos solos con sus recuerdos, cuando empiezan las nuevas temporadas.

No decir nada. Pero con Morrie no había necesidad de recordarle que su tiempo se acababa.

Para nuestras conversaciones grabadas habíamos cambiado el micrófono que se sostiene en la mano —porque para Morrie ya era muy difícil sostener una cosa durante tanto tiempo— por el tipo de micrófono que usan los presentadores de televisión y que se puede colocar en el cuello o la solapa. Desde luego, como Morrie ya sólo usaba camisas de algodón muy suave —que colgaban flojas alrededor de su cuerpo que seguía encogiéndose—, el micrófono se movía y se caía constantemente y yo lo tenía que ajustar con frecuencia. A Morrie esto parecía gustarle porque así yo me acercaba a él, me ponía al alcance de un abrazo, y su necesidad de afecto físico era más fuerte que nunca. Al inclinarme podía oír su respiración jadeante, la tos débil y el chasquido de sus labios antes de pasar saliva.

—Bueno, muchacho —decía—, ¿de qué vamos a hablar hoy?

—¿Qué tal de la familia?

—Familia —lo pensó un momento—. Bueno, tú ves la mía a mi alrededor todo el tiempo.

Señaló con la cabeza las fotos en las estanterías: Morrie cuando niño con su abuela; Morrie de joven con su hermano David; Morrie con su esposa, Charlotte; Morrie con sus dos hijos, Rob, un periodista que vivía en Tokio, y Jon, un experto en computadores que vivía en Boston.

—Creo que, a la luz de lo que hemos hablado durante todas estas semanas, la familia se vuelve aún más importante —dijo.

—El hecho es que no hay cimientos, ni suelo firme sobre el cual la gente puede afirmarse hoy, distintos de la familia. Esto se ha vuelto muy claro para mí desde que me enfermé. Si uno no tiene el apoyo y el amor y el cariño y el interés que le da la familia, no tiene nada. El amor es tan importante. Como dijo el gran poeta Auden: "Amáos los unos a los otros o pereced".

"Amáos los unos a los otros o pereced", escribí.

—¿Auden dijo eso?

—"Amáos los unos a los otros o pereced" —citó Morrie—. Es bueno ¿no? Y es tan cierto. Sin amor somos pájaros con las alas rotas. Supón que yo estuviera divorciado, o viviendo solo, o que no tuviera hijos. Esta enfermedad, todo lo que estoy viviendo ahora, sería más duro. No creo que fuera capaz de soportarlo. Claro, la gente vendría a verme —amigos, colegas—, pero no es lo mismo que tener a alguien que no se irá. No es lo mismo que tener a alguien que sabes que tiene un ojo puesto en ti, que te observa todo el tiempo. Eso es parte de lo que una familia es, no sólo amor sino que los demás sepan que hay alguien pendiente de ellos. Es lo que yo extrañé tanto cuando mi madre murió, lo que llamo la "seguridad espiritual": saber que la familia estará allí para cuidarte. Ninguna otra cosa te da eso. Ni el dinero ni la fama.

Me lanzó una mirada.

—Ni el trabajo —añadió.

Formar una familia era una de las cosas que estaban en mi lista, una de las cosas que uno quiere hacer antes de que sea demasiado tarde. Le conté a Morrie del dilema de mi generación alrededor de la idea de tener hijos; cómo los veíamos con frecuencia como algo que iba a "atarnos" y a convertirnos en eso que se llamaba "padres" y que no queríamos ser. Admití que yo sentía algo de eso.

Pero cuando miré a Morrie pensé que si yo estuviera en sus zapatos, a punto de morir, y no tuviera familia ni hijos, quizás el vacío sería insoportable. Él había criado a sus hijos para ser afectuosos y considerados y, como Morrie, ellos no eran tímidos con su cariño. Si él lo hubiera querido, ellos habrían dejado lo que hacían para estar con su padre cada minuto de sus últimos meses. Pero eso no era lo que él quería.

—No hagan un alto en su vida —les dijo—. Si lo hacen, esta enfermedad habrá arruinado a tres personas y no solo a una.

De esta manera, incluso cuando se estaba muriendo, mostraba respeto por el mundo de sus hijos. Por eso no era de extrañar que cuando estaban con él, hubiera una corriente constante de cariño, montones de besos y bromas, y que se sentaran a su lado en la cama, tomados de la mano.

—Cuando la gente me pregunta si debe tener hijos o no, nunca le digo qué hacer —dijo Morrie mirando una foto de su hijo mayor—. Simplemente digo: "No hay nada igual a tener hijos", eso es todo. No hay nada que reemplace eso. No es lo mismo que tener un amigo, o un amante. Si quieres vivir la experiencia de tener responsabilidad total sobre otro ser humano, y de aprender a amar y a crear vínculos de la manera más profunda, entonces deberías tener hijos.

—¿Así que lo harías de nuevo? —le pregunté.

Miré la foto. Rob le daba un beso en la frente a Morrie, y éste se reía con los ojos cerrados.

—¿Que si lo haría de nuevo? —me dijo mirándome sorprendido—. Mitch, no me habría perdido esa experiencia por nada del mundo. Aunque...

Pasó saliva y puso la foto en su regazo.

—Aunque hay que pagar un precio alto —dijo.

—Porque los vas a dejar.

—Porque los voy a dejar pronto.

Apretó los labios, cerró los ojos y vi cómo la primera lágrima le rodaba por la mejilla.

—Y ahora —susurró—, habla tú.

—¿Yo?

—Tu familia. Yo sé de tus padres, los conocí hace años, el día de la graduación. También tienes una hermana, ¿no?

—Sí —dije.

—Mayor, ¿cierto?

—Mayor.

—Y un hermano, ¿verdad?

Asentí.

—¿Menor?

—Menor.

—Como yo. Tengo un hermano menor.

—Como tú —dije.

—Él también fue a tu grado, ¿o no?

Parpadeé y nos vi a todos mentalmente, hacía dieciséis años, bajo el sol caluroso, las togas azules, entrecerrando los ojos mientras nos abrazábamos para posar para las fotos instamatic, y alguien decía "uno, dos, tres..."

—¿Qué pasa? —dijo Morrie, al notar mi silencio—. ¿En qué piensas?

—En nada —dije, cambiando de tema.

La verdad es que sí tengo un hermano, rubio, con ojos color de avellana, dos años menor que yo, que es tan distinto de mí y de mi hermana que solíamos molestarlo diciendo que alguien lo había dejado de bebé en la puerta de la casa. "Y algún día van a venir a recogerte", le decíamos. Lloraba cuando nos oía, pero no nos importaba.

Creció de la misma manera que muchos hermanos menores, mimado, venerado y atormentado por dentro. Soñaba con ser actor o cantante; imitaba los programas de televisión a la hora de comer, actuando cada personaje con la sonrisa tan radiante que casi se le saltaba de los labios. Yo era el buen estudiante y él, el malo; yo era obediente, él rompía las reglas; yo me mantuve lejos del alcohol y las drogas, él probó todo lo que pudo. Se fue a vivir a Europa poco tiempo después de terminar el colegio, porque prefería el estilo de vida informal. Y a pesar de todo siguió siendo el preferido de la familia. Cuando venía de visita, con su apariencia chistosa y desabrochada, me hacía sentir acartonado y conservador.

Como éramos tan diferentes, supuse que nuestras vidas irían en direcciones opuestas cuando nos hiciéramos adultos. Tenía razón en casi todo, menos en una cosa. Desde el día en que murió mi tío, creí que yo iba a morir de manera similar, que sufriría una enfermedad intempestiva que me llevaría de este mundo. Así que trabajé de manera febril y me preparé para el cáncer. Podía sentir su aliento. Sabía que venía. Lo esperaba de la misma manera que un condenado a muerte espera al verdugo.

Y tenía razón. Vino.

Pero me esquivó.

Golpeó a mi hermano.

El mismo tipo de cáncer de mi tío. El páncreas. Una forma rara. Y así el menor de la familia, con el cabello rubio y los ojos color de avellana, tuvo que someterse a quimioterapia y radiación. Se le cayó el cabello, la cara se le volvió como la de un esqueleto. Debía haber sido yo, pensé. Pero mi hermano no era yo, y no era mi tío. Él era un luchador, y lo había sido desde muy pequeño, cuando peleábamos en el sótano y me mordía a través del zapato hasta que me hacía gritar de dolor y lo dejaba ir.

Así que se defendió. Luchó contra la enfermedad en España, donde vivía, con la ayuda de una droga experimental que no se conseguía, y aún no se consigue, en los Estados Unidos. Volaba por toda Europa para los tratamientos. Tras cinco años de tratamiento, la droga acorraló al cáncer y lo hizo retroceder.

Ésas eran las buenas noticias. Las malas eran que mi hermano no quería que yo estuviera a su lado —ni yo ni nadie de la familia. A pesar de todas las llamadas y visitas, nos mantuvo a distancia insistiendo en que esa lucha la tenía que dar él solo. Pasaban meses sin noticias suyas. Los mensajes que le dejábamos en el contestador automático se quedaban sin respuesta. El remordimiento por lo que sentía que debería estar haciendo por él me desgarraba, y la furia por la manera en que nos negaba el derecho a hacerlo exacerbaba ese dolor.

Así que una vez más me sumergí en el trabajo. Trabajé porque eso era algo que podía controlar. Trabajé porque el trabajo era sensato y me respondía. Y cada vez que llamaba a mi hermano a España y me respondía el contestador, su voz hablando en español —otra señal de cuánto nos habíamos alejado— colgaba y trabajaba un poco más.

Tal vez ésa era una de las razones por las

cuales Morrie me atraía. Me dejaba estar en el lugar que mi hermano me había negado.

Al mirar hacia atrás, pienso que Morrie sabía todo eso.

Es un invierno de mi infancia, en una colina cubierta de nieve en nuestra vecindad. Mi hermano y yo estamos en el trineo, él encima y yo debajo. Siento su barbilla en el hombro, y sus pies contra la parte de atrás de mis rodillas.

El trineo hace crujir el hielo bajo nosotros. Tomamos impulso en el descenso.

—¡Viene un auto! —grita alguien.

Lo vemos venir por la calle, a nuestra izquierda. Gritamos y tratamos de desviarnos, pero los patines no se mueven. El conductor toca el pito y da un frenazo, y hacemos lo que hacen todos los niños: saltamos del trineo. Con la capucha de nuestras chaquetas puesta, rodamos como troncos sobre la nieve fría y mojada, pensando que lo primero que nos golpeará será el caucho duro de la llanta de un automóvil. Vamos gritando y el miedo nos hace estremecer. Mientras giramos, vemos el mundo patas arriba, patas abajo, patas arriba.

Y luego, nada. Dejamos de rodar y recobramos el aliento, y nos limpiamos la nieve medio derretida de la cara. El conductor sigue calle abajo, haciendo un gesto con el dedo a modo de advertencia. Estamos bien. El trineo fue a parar contra un monte de nieve, y nuestros amigos nos dan palmadas y dicen: "¡Qué increíble!" y "Casi se matan".

Le sonrío a mi hermano y el orgullo infantil nos une. No fue tan terrible, pensamos, y estamos listos para enfrentar a la muerte de nuevo.

El sexto martes.
En el que hablamos de los sentimientos

Pasé al lado del laurel y el arce japonés, y subí los escalones de piedra azulosa de la casa de Morrie. La canal blanca colgaba como una tapa sobre la puerta. Toqué el timbre y quien me abrió la puerta no fue Connie, sino la esposa de Morrie, Charlotte, una mujer hermosa de pelo gris, que hablaba con voz cantarina. Ella casi nunca estaba en casa cuando yo iba. Seguía trabajando en el Instituto de Tecnología de Massachusetts (MIT), como Morrie quería, y por eso me sorprendí al verla esa mañana.

—Morrie ha tenido un día difícil hoy —me dijo. Miró por sobre mi hombro un momento, y luego fue hacia la cocina.

—Lo siento —dije.

—No, no, se va a poner muy contento de verte —dijo rápidamente—. Seguro...

Se detuvo en medio de la frase y volteó la cabeza ligeramente como si tratara de oír algo.

—Seguro que se va a sentir mejor cuando sepa que estás aquí —dijo luego de la pausa.

Alcé las bolsas del mercado —"la ración de comida", dije en son de chanza— y ella me miró con una sonrisa y un aire preocupado al mismo tiempo.

—Ya hay tanta comida. No ha probado nada de lo que trajiste la última vez.

Eso me tomó por sorpresa.

—¿No ha probado nada? —pregunté.

Abrió el refrigerador y reconocí los recipientes de ensalada de pollo, vermicelli, verduras, calabazas rellenas, todo lo que había traído para Morrie. Abrió el congelador y vi que había todavía más.

—Morrie no puede comer casi nada de esto. Es demasiado duro para él. Ahora sólo puede comer cosas blandas y líquidos.

—Pero nunca me dijo nada —dije.

—No quiere hacerte sentir mal —dijo sonriendo.

No lo habría hecho. Yo sólo quería ayudarle de alguna manera. Quiero decir, sólo quería traerle algo...

—Ya le estás trayendo algo. Espera tus visitas con ansiedad. Habla de este proyecto contigo, de cómo se tiene que concentrar y sacar tiempo. Creo que lo hace sentirse útil...

De nuevo le vi esa mirada lejana, de estar tratando de oír algo que pasaba en otra parte. Yo sabía que las noches de Morrie eran cada vez más difíciles, no dormía la noche completa y eso quería decir que Charlotte tampoco. Morrie se quedaba despierto tosiendo durante horas, porque le tomaba todo ese tiempo deshacerse de las flemas que tenía en la garganta. Ahora tenía enfermeros durante la noche y todos esos visitantes durante el día —antiguos estudiantes, colegas, maestros de meditación— que entraban y salían de la casa. Había días en los que tenía una media docena de visitantes, que casi siempre seguían allí cuando Charlotte llegaba de trabajar. Ella se lo tomaba con paciencia, aunque todos esos extraños le quitaban sus preciosos minutos con Morrie.

—... se siente útil —continuó—. Sí. Eso es bueno para él.

—Eso espero —dije.

Le ayudé a poner la comida en el refrigerador. Le mesón de la cocina tenía toda clase de notas, mensajes, información, instrucciones médicas. Sobre la mesa había más frascos de pastillas que nunca —Selestone para el asma, Ativán para ayudarle a dormir, naproxén para las infecciones—, junto con una mezcla de leche en polvo y laxantes. Oímos que una puerta se abría en el otro extremo del corredor.

—Tal vez ya está listo... déjame ver.

Charlotte echó una ojeada a la comida que yo había traído y de repente me avergoncé. Todas esas cosas que le recordaban lo que Morrie ya nunca disfrutaría.

Los pequeños horrores de su enfermedad iban creciendo, y cuando finalmente me senté a su lado él tosía más que de costumbre, con una tos seca que le sacudía el pecho y hacía que la cabeza se le cayera hacia adelante. Luego de un acceso violento, hizo una pausa, cerró los ojos y tomó aire. Me senté en silencio porque pensé que se estaba recuperando del esfuerzo.

—¿Ya encendiste la grabadora? —dijo de repente, con los ojos todavía cerrados.

—Sí, sí —dije rápidamente, mientras oprimía los botones correspondientes.

—Lo que estoy haciendo ahora —continuó, con los ojos aún cerrados— es desligarme de la experiencia.

—¿Desligarte?

—Sí, desligarme. Y eso es importante no sólo para alguien como yo, que se está muriendo, sino para alguien como tú, perfectamente saludable. Aprende a desligarte —abrió los ojos y exhaló—. ¿Sabes lo que dicen los budistas? Que no hay que aferrarse a las cosas, porque nada permanece.

—Espera un momento —dije—. Pero si tú siempre estás hablando de vivir las experiencias de la vida, tanto las buenas como las malas...

—Sí.

—¿Cómo vas a hacerlo si te desligas?

—¡Ah! Estás pensando, Mitch. Pero el desapego no implica que no dejes que la experiencia te penetre. Al contrario, dejas que lo haga por completo. Es así como puedes dejarla ir.

—Me perdí —dije.

—Toma cualquier sentimiento: el amor por una mujer, o la pena por alguien que amas, o lo que me está pasando a mí, miedo y dolor por una enfermedad mortal. Si uno no se permite vivir los sentimientos, si no atraviesa cada una de las etapas por las que lo llevan, tampoco puede llegar a desligarse pues está demasiado ocupado con el miedo de sentir. Le da miedo sentir el dolor, la pena, la vulnerabilidad que el amor trae consigo. Pero al lanzarse a estos sentimientos, al permitirse estar inmerso en ellos, hasta el fondo, uno tiene una experiencia total y completa de ellos. Ya sabe lo que es el dolor. Ya sabe lo que es la tristeza. Y sólo entonces puede decir: "Muy bien. Eso ya lo sentí. Reconozco ese sentimiento. Ahora necesito desligarme de él por un momento".

Morrie se detuvo y me miró, tal vez para ver si estaba entendiendo.

—Sé que crees que esto sólo tiene que ver

con la cercanía de la muerte —dijo—, pero es más bien lo que ya te he dicho. Cuando aprendes a morir, aprendes a vivir.

Morrie habló de sus momentos más aterradores, cuando sentía que los accesos de tos no pasaban, o cuando no sabía de dónde llegaría el siguiente soplo de aire. Esos momentos lo horrorizaban, dijo, y sus primeros sentimientos fueron terror, miedo y ansiedad. Pero cuando llegó a reconocer esos sentimientos —su textura, su humedad, el escalofrío que le hacían correr por la espalda, el relámpago de calor que le cruzaba por el cerebro— pudo decir: "Muy bien. Esto es miedo. Aléjate de él, aléjate".

Pensé en cuánto se necesitaba eso para la vida cotidiana. En cómo nos sentimos solos, a veces hasta llegar a las lágrimas, pero no dejamos salir esas lágrimas porque se supone que no debemos llorar. O cómo sentimos una oleada de amor por alguien, pero no decimos nada porque el miedo de lo que esas palabras puedan hacerle a la relación nos paraliza.

La perspectiva de Morrie era exactamente la opuesta. Abrir el grifo. Bañarse en el sentimiento. Eso no hace daño. Más bien, ayuda. Si uno deja que el miedo lo invada, si se lo pone como una camisa que le resulta conocida, entonces puede decirse: "Es sólo miedo, no tengo por qué dejar que me controle. Sé muy bien lo que es".

Lo mismo sucede con la soledad: uno se deja llevar, deja fluir las lágrimas, la siente por completo y finalmente puede decir: "Muy bien, ése fue mi momento de soledad. No me asusta sentirme solo, pero ahora voy a dejar esa soledad de lado y a ver que hay otros sentimientos en el mundo, y también los voy a vivir".

—Desligarse —dijo Morrie de nuevo.

Cerró los ojos y luego tosió.

Luego tosió otra vez.

Luego volvió a toser, con más fuerza.

De repente estaba medio asfixiado, con la congestión en los pulmones gastándole una especie de broma, robándole el aliento. Tenía arcadas y luego tosía como perro y movía las manos. Con los ojos cerrados y agitando las manos, parecía poseído. Yo sentí que la frente se me bañaba en sudor e instintivamente lo incliné hacia adelante y le di una palmada en la espalda. Él se cubrió la boca con un pañuelo y escupió un pedazo de flema.

La tos cesó y Morrie se dejó caer en las almohadas de espuma y tomó aire con dificultad.

—¿Estás bien? ¿Te sientes bien? —dije, tratando de esconder mi miedo.

—Estoy... bien —murmuró, levantando un dedo tembloroso—. Sólo espera... un momento.

Nos quedamos en silencio hasta que volvió a respirar normalmente. Sentí cómo el sudor me corría por el cuero cabelludo. Me pidió que cerrara la ventana, porque la brisa le dio frío. No mencioné que afuera la temperatura era de 26°C.

—Sé cómo quiero morir —dijo finalmente en un susurro.

Esperé en silencio.

—Quiero morir con serenidad. En paz. No como lo que acaba de pasar. Y aquí es donde viene el desapego. Si muero en medio de un ataque de tos como el que acabo de tener, necesito ser capaz de desligarme del horror, necesito poder decir: "Éste es mi momento". No quiero dejar el mundo en estado de pánico. Quiero saber lo que está pasando, aceptarlo, ir a un lugar tranquilo y dejarme llevar. ¿Me entiendes?

Asentí.

—No te dejes llevar todavía —añadí rápidamente.

—No, todavía no —dijo, esforzándose por sonreír—. Aún tenemos trabajo por hacer.

—¿Crees en la reencarnación? —pregunto.

—Tal vez.

—¿Como qué te gustaría volver?

—Si pudiera escoger, como una gacela.

—¿Una gacela?

—Sí, tan hermosa, tan rápida.

—¿Una gacela?

Morrie me sonríe.

—¿Te parece raro?

Miro con detenimiento su esqueleto encogido, las ropas que le cuelgan, los pies cubiertos con las medias que reposan tiesos sobre cojines de espuma, incapaces de moverse, como un prisionero con grillos en las piernas. Me imagino una gacela corriendo por el desierto.

—No —digo—. No me parece raro en absoluto.

El profesor, segunda parte

El Morrie que yo conocí, el Morrie que muchos otros conocieron, no hubiera sido el mismo sin los años que pasó trabajando en un hospital mental en las afueras de Washington D.C., un lugar de nombre engañosamente pacífico: Hotel del Castaño. Ése fue uno de los primeros trabajos de Morrie tras terminar su maestría y un doctorado en la Universidad de Chicago. Habiendo rechazado la medicina, el derecho y la administración, Morrie decidió que el mundo de la investigación sería un lugar desde el cual podría hacer una contribución sin explotar a los demás.

Morrie obtuvo una beca para observar a pacientes con problemas mentales y llevar un registro de los tratamientos que se les aplicaban. La idea parece muy natural hoy en día, pero a comienzos de la década de los cincuenta era algo insólito. Morrie veía a pacientes que se pasaban el día gritando. Pacientes que lloraban durante toda la noche. Pacientes que no iban al baño por sí mismos y ensuciaban su ropa interior. Pacientes que se negaban a comer y era necesario inmovilizarlos con medicamentos para alimentarlos por vía intravenosa.

Uno de los pacientes, una mujer madura, salía de su cuarto todos los días y se acostaba boca abajo sobre el suelo de baldosines, y se quedaba allí durante horas sin que le importara que los médicos y las enfermeras caminaran todo el tiempo a su alrededor. Morrie la miraba con horror. Tomaba notas, que es lo que se supone que debía hacer. Esta mujer hacía lo mismo todos los días: salía por la mañana, se tendía en el piso, se quedaba allí hasta la noche, sin hablar con nadie, ignorada por todos. A Morrie le daba mucha tristeza. Empezó a sentarse a su lado en el piso, e incluso llegó a tenderse a su lado, tratando de sacarla de su miseria. Finalmente logró que se sentara y que volviera a su cuarto. Lo que ella quería, dedujo Morrie, era lo mismo que mucha gente busca: alguien que se diera cuenta de que existía.

Morrie trabajó allí durante cinco años. Se hizo amigo de varios pacientes, a pesar de que eso no formaba parte de las políticas del hospital. Uno de estos pacientes era una mujer que bromeaba con Morrie acerca de lo afortunada que era al estar en ese hospital "porque mi marido es rico y lo puede costear. ¿Te imaginas si estuviera en uno de esos sanatorios baratos?"

Otra mujer, que le escupía a todos los demás, se encariñó con Morrie y lo consideraba su amigo. Hablaban todos los días y los empleados del sanatorio se alegraron de que alguien hubiera conseguido acercársele. Pero un día ella se escapó y a Morrie le pidieron que ayudara a traerla de vuelta. La rastrearon hasta una tienda cercana, donde estaba escondida en la parte trasera, y cuando Morrie entró, lo miró de mala manera.

—Entonces usted también es uno de ellos —le gruñó.

—¿Uno de cuáles?

—De mis carceleros.

Morrie comprendió que la mayoría de los pacientes allí habían sido rechazados e ignorados en la vida, que se les había hecho sentir que no existían. También extrañaban algo de consideración, una cosa de la cual el personal del hospital tenía escasas dosis. Y muchos de estos pacientes provenían de familias acomodadas, lo que mostraba que la riqueza no compraba la felicidad o la satisfacción. Fue una lección que nunca olvidaría.

Yo solía decirle a Morrie en son de broma que él se había quedado en los años sesenta. Y él solía contestarme que los sesenta no habían sido tan malos, comparados con los tiempos actuales.

Llegó a Brandeis luego de su trabajo en el sanatorio, justo antes de que la década de los sesenta empezara. En unos años, el campus se convirtió en semillero de una revolución cultural. Drogas, sexo, raza, protestas por la guerra de Vietnam. Abbie Hoffman asistió a Brandeis, al igual que Jerry Rubin y Angela Davis. Morrie tuvo a muchos estudiantes "radicales" en sus cursos.

Esto se debió en parte a que, en lugar de limitarse a enseñar, la Facultad de Sociología participó activamente en ese proceso. Por ejemplo, se opuso con firmeza a la guerra. Cuando los profesores se enteraron de que los estudiantes que no mantuvieran un promedio de calificaciones alto podían perder el aplazamiento del servicio militar por estudios y tendrían que ir al ejército, decidieron no poner notas. Cuando la administración dijo: "Si no les ponen notas a los estudiantes, todos pierden", Morrie propuso una solución: "Les ponemos a todos la máxima calificación". Y así lo hicieron.

De la misma manera en que los años sesenta introdujeron cambios en el campus, también lo hicieron en el personal del departamento de Morrie, desde los jeans y las sandalias que usaban ahora en el trabajo, hasta convertir los salones de clase en lugares de vida, donde se podía respirar. Los debates reemplazaron a las clases magistrales, la experiencia reemplazó a la teoría. Enviaban estudiantes al sur de los Estados Unidos para trabajar en proyectos de derechos civiles, y al centro de la ciudad para hacer trabajo de campo. Iban a Washington a participar en marchas de protesta, y Morrie solía ir en los buses con sus estudiantes. En uno de esos viajes observó con diversión cómo las mujeres con faldas ligeras y collares de cuentas ponían flores en las armas de los soldados, y luego se sentaban en el pasto, tomadas de la mano, tratando de hacer que el Pentágono levitara.

"No lograron moverlo ni un centímetro", recordaría después, "pero fue un buen intento".

Una vez, un grupo de estudiantes negros se tomó el edificio Ford, en el campus de Brandeis, y cubrieron la fachada con una pancarta en la que se leía "Universidad Malcolm X". En el edificio Ford había laboratorios de química y algunos miembros de la administración estaban preocupados porque los estudiantes podían estar fabricando bombas en los sótanos. Pero Morrie sabía lo que sucedía en realidad. Entrevió el núcleo del problema y comprendió que se trataba de seres humanos buscando sentir que su opinión contaba.

La toma duró semanas. Y habría durado más si un día en que Morrie pasaba frente al edificio, uno de los que protestaban no lo hubiera reconocido como uno de sus profesores preferidos, y no le hubiera gritado invitándolo a entrar por la ventana.

Una hora después, Morrie salió gateando por la ventana con una lista de peticiones de los protestantes. Le llevó la lista al rector de la universidad y la situación se resolvió.

Morrie siempre lograba hacer las paces.

En Brandeis dio cursos de psicología social, salud y enfermedad mental y procesos grupales. Sus clases no hacían mucho énfasis en lo que se podría llamar "habilidades profesionales" sino que se concentraban en el "desarrollo personal".

Y debido a esto, los estudiantes de derecho y administración de hoy podrían considerar a Morrie un ingenuo. ¿Cuánto dinero acumularon sus estudiantes? ¿Cuántos casos famosos lograron ganar?

Y, de nuevo, ¿cuántos estudiantes de derecho o administración visitan a sus antiguos profesores luego de dejar la universidad? Los estudiantes de Morrie nunca dejaron de hacerlo. Incluso en sus últimos meses venían a verlo, cientos de ellos, desde Boston, Nueva York, California, Londres y Suiza. Lo llamaban. Le escribían. Viajaban cientos de kilómetros para visitarlo, por una palabra, una sonrisa.

"Nunca tuve otro profesor como tú", decían todos.

A medida que mis visitas a Morrie continúan, empiezo a leer sobre la muerte, sobre cómo ven este pasaje final las diferentes culturas. Hay una tribu del Ártico, en Norteamérica, que cree que todos los seres del mundo tienen un alma que existe en la forma de una réplica diminuta del cuerpo que la contiene. Así, los venados tienen venados diminutos dentro de sí, y un hombre tiene un hombrecito diminuto en su interior. Cuando el ser más grande muere, la forma diminuta le sobrevive. Se puede deslizar al interior de algo que nazca cerca, o puede ir a un lugar temporal de reposo en el cielo, en el vientre de un gran espíritu femenino, donde espera hasta que la luna la pueda enviar de vuelta a la Tierra.

A veces, dicen, la luna está tan ocupada con

las nuevas almas del mundo que desaparece del cielo. Por eso es que hay noches sin luna. Pero al final la luna siempre reaparece, al igual que todos nosotros.

Eso es lo que creen.

El séptimo martes. *En el que hablamos del miedo a envejecer*

Morrie perdió su batalla. Ahora alguien le tenía que limpiar el trasero.

Lo enfrentó con su típica aceptación valerosa. Al darse cuenta de que ya no alcanzaba su propio trasero al ir al baño, le informó a Connie de esta nueva limitación.

—¿Te molestaría hacerlo por mí?

Ella dijo que no.

Me pareció típico de él que le preguntara primero.

Morrie admitió que le tomó algún tiempo acostumbrarse, porque de alguna manera esto era rendirse del todo ante la enfermedad. Ya no era capaz de hacer por sí mismo cosas tan personales y elementales como ir al baño, limpiarse la nariz, lavarse sus partes íntimas. Dependía de otras personas para casi todo, a excepción de respirar y tragar la comida.

Le pregunté a Morrie cómo se las arreglaba para mantener una actitud positiva en medio de todo eso.

—Es extraño, Mitch —dijo—. Soy una persona independiente, así que mi primera inclinación fue luchar contra todo esto —no quería que me ayudaran a bajarme del automóvil, ni que me ayudaran a vestirme. Me daba un poco de vergüenza porque nuestra cultura nos dice que debemos avergonzarnos si no podemos limpiarnos el trasero. Pero después se me ocurrió que debía olvidarme de lo que dice la cultura. Había hecho caso omiso de ella durante casi toda la vida y por eso no iba a avergonzarme. ¿Cuál es el problema? Y ¿sabes qué es lo más increíble de todo?

—¿Qué?

—Que empecé a disfrutar de mi dependencia. Ahora disfruto cuando me dan la vuelta en la cama y me aplican crema para que no me salgan peladuras. O cuando me enjuagan la frente, o me masajean las piernas. Eso me deleita. Cierro los ojos y lo siento a fondo. Y me parece muy natural. Es como ser niño de nuevo. Alguien te baña. Alguien te alza. Alguien te limpia. Todos sabemos cómo ser niños. Está en nuestro interior. Para mí es sólo un asunto de recordar cómo disfrutarlo. La verdad es que cuando nuestras madres nos alzaban en sus brazos, nos mecían, nos acariciaban la cabeza, no tuvimos suficiente. De alguna manera todos ansiamos volver a esos días en los que alguien nos cuidaba, con amor y atención incondicional. La mayoría de nosotros no tuvo suficiente. Por lo menos yo no.

Lo miré y de repente supe por qué le gustaba tanto que me acercara a él para ajustarle el micrófono, o para arreglarle las almohadas, o limpiarle los ojos. Era el contacto humano. A los 78 años, Morrie se daba como un adulto y recibía como un niño.

Más tarde ese mismo día hablamos de envejecer. O tal vez debo decir del miedo a envejecer, otro de los temas en mi lista de las cosas que obsesionan a mi generación. En el camino desde el aeropuerto de Boston había contado los avisos que mostraban a gente joven y bella. Había un hombre joven y apuesto con sombrero de vaquero fumando; dos mujeres bellas y jóvenes sonriendo con una botella de champú; una adolescente sensual con los bluejeans desabrochados; una mujer muy sexy con un vestido de terciopelo negro, al lado de un hombre de smoking, cada uno con un vaso de whisky.

No vi ni un solo aviso con alguien que pasara de los 35. Le dije a Morrie que me estaba sintiendo viejo, a pesar de mis intentos por convencerme de que no lo era. Hacía ejercicio regularmente. Tenía cuidado con lo que comía. Me miraba constantemente al espejo buscando señales de calvicie. Había pasado de estar orgulloso de decir mi edad por todo lo que había hecho siendo tan joven, a no traerla a colación por el miedo que me producía estar cada vez más cerca de los 40 y, por lo tanto, del olvido profesional.

Morrie tenía una mejor perspectiva de lo que es envejecer.

—Todo este énfasis en la juventud no me convence —dijo—. Mira, sé bien lo terrible que puede resultar ser joven, así que no me digas que es fabuloso. Todos esos jóvenes que tuve como estudiantes, con sus problemas, sus conflictos familiares, sus sentimientos de no identificarse con nada, su sentido de que la vida era una desgracia, tan mala que querían suicidarse... Y además de todas esas desgracias, los jóvenes no son sabios. Saben muy poco de la vida. ¿Quién quiere vivir un día tras otro cuando no sabe lo que está pasando? La gente los manipula, les dice que deben comprar un perfume determinado para ser hermosos, o este par de jeans para ser más atractivos ¡y ellos se lo creen! No tiene ni pies ni cabeza.

—¿Nunca te dio miedo envejecer? —le pregunté.

—Mitch, yo no me resisto a envejecer.

—¿No te resistes?

—Es muy sencillo. A medida que creces, aprendes más. Si te quedaras de 22, siempre serías tan ignorante como lo fuiste a los 22. Envejecer no es sólo un asunto de deterioro; es crecimiento. Es más que la actitud negativa de que te vas a morir; también es una actitud positiva porque entiendes que vas a morir y que por eso vas a vivir mejor la vida.

—Sí —dije—, pero si envejecer fuera tan valioso, por qué la gente siempre dice: "Si fuera joven de nuevo...", y uno nunca oye a nadie diciendo: "Si tuviera 65 años..."

—¿Sabes lo que refleja eso? —preguntó sonriendo—. Vidas insatisfechas. Vidas que no han sido plenas.Vidas que no han tenido un sentido. Pero si uno ha encontrado un sentido para su vida, no quiere volver atrás. Quiere seguir hacia adelante. Quiere ver más, hacer más. No puede esperar a tener 65. Mira, hay algo que deberías saber. Todos los jóvenes deberían saber una cosa. Si siempre están luchando para no envejecer, van ser infelices día tras día porque eso es algo que de todas maneras sucederá. Además —bajó la voz—, el hecho es que tú, tarde o temprano, vas a morir.

—Eso lo sé —dije.

—Pero esperemos —dijo— que aún te quede mucho, mucho tiempo.

Cerró los ojos con expresión beatífica y me pidió que le apilara las almohadas de detrás de la cabeza. Necesitaba que lo acomodaran constantemente para sentirse a gusto. Su cuerpo estaba apuntalado en la silla con almohadones blancos, espuma amarilla y toallas azules. A primera vista, parecía como si Morrie estuviera empacado para ser transportado.

—Gracias —susurró mientras yo movía los almohadones.

—De nada —dije.

—¿En qué estás pensando, Mitch?

Hice una pausa antes de contestar.

—Está bien —dije—, estoy pensando en lo increíble que es que no envidies a la gente joven y saludable.

—¡Oh! Bueno, supongo que sí los envidio —cerró los ojos—. Les envidio la posibilidad de ir al gimnasio o a nadar. O a bailar. Sobre todo a bailar. Pero la envidia viene, la siento y después la dejo ir. ¿Te acuerdas de lo que dije sobre desligarse? Deja que las cosas sigan su camino. Al encontrarlas di: "Eso es envidia, y ahora la voy a dejar a un lado". Y aléjate después.

Tuvo un acceso de tos, largo y áspero, y luego se llevó un pañuelo a la boca y escupió en él débilmente. Al verlo ahí sentado, me sentí muchísimo más fuerte que él, ridículamente fuerte, como si fuera capaz de levantarlo y echármelo al hombro como un saco de harina. Me avergonzó esa superioridad, porque no me sentía superior a él en ningún otro sentido.

—¿Cómo hace uno —dije— para no sentir envidia...

—¿Qué?

—...de mí?

Sonrió.

—Mitch, es imposible que los viejos no envidiemos a los jóvenes. Pero se trata de aceptar quién eres y disfrutarlo. Éste es tu momento de tener treinta y pico. Yo tuve ese momento también, y éste es mi momento de tener 78. Tienes que encontrar lo que es bueno y verdadero y bello en tu vida tal como es en este momento. Mirar hacia atrás te hace querer competir. Y la edad no es un asunto de competencias —exhaló y bajó la mirada, como para ver su respiración dispersándose en el aire—. Lo cierto es que en mí hay partes de todas las edades. Tengo tres años, tengo cinco, tengo 37, tengo 50. He pasado por todo eso y sé lo que se siente. Me encanta portarme como un niño, cuando puedo hacerlo. Me encanta ser un viejo sabio, cuando puedo ser un viejo sabio. ¡Piensa en todo lo que puedo ser! Tengo todas las edades, hasta la que tengo ahora. ¿Me entiendes?

Asentí.

—¿Cómo podría envidiarte por la edad que tienes, si yo también pasé por ahí?

"Muchas especies sucumben
ante el destino: sólo una
lo pone en peligro".

W.H. AUDEN, EL POETA
PREFERIDO DE MORRIE

El octavo martes.
En el que hablamos del dinero

Sostuve el periódico de manera que Morrie pudiera leerlo:

"No quiero que mi lápida diga 'Nunca tuve una cadena de televisión'".

Morrie se rió y después movió la cabeza. El sol de la mañana entraba por la ventana que estaba tras él y caía sobre las flores rosadas del hibisco que crecía en la ventana. La cita era de Ted Turner, el magnate de los medios de comunicación, fundador de CNN, que se lamentaba de no haber podido adquirir la cadena CBS en un meganegocio corporativo. Le había traído la historia a Morrie esa mañana porque me preguntaba qué pasaría si Turner alguna vez se viera en la situación de mi profesor, con su respiración desvaneciéndose, el cuerpo convirtiéndose en piedra, sus días agotándose uno a uno en el calendario. ¿Realmente lloraría por poseer o no una cadena de televisión?

—Todo eso es parte del mismo problema, Mitch —dijo Morrie—. Le damos valor a cosas que no lo tienen. Y eso nos lleva a vidas decepcionantes. Creo que deberíamos hablar de eso.

Morrie estaba lúcido. Ahora tenía días buenos y días malos. Éste era uno de los buenos. La noche anterior, un coro de la ciudad había ido a su casa a cantar y él contaba la experiencia encantado, como si los Ink Spots en persona hubieran ido a visitarlo. El amor de Morrie por la música ya era fuerte antes de la enfermedad, pero ahora era tan intenso que a veces lo llevaba hasta las lágrimas. Algunas noches escuchaba ópera, con los ojos cerrados, cabalgando sobre las magníficas voces que ondulaban en el aire.

—Si hubieras oído al grupo que vino anoche, Mitch. ¡Qué maravilla!

Morrie siempre se había conmovido con los placeres sencillos como cantar, reírse, bailar.

Ahora más que nunca, las cosas materiales tenían poca importancia para él, a veces ninguna. Cuando la gente muere, uno siempre oye la expresión "Eso no te lo puedes llevar". Parecía que Morrie había comprendido eso años atrás.

—Tenemos una forma de lavar cerebros en este país —suspiró Morrie—. ¿Sabes cómo le lavan el cerebro a la gente? Le repiten algo una y otra vez. Y eso es lo que hacemos aquí. Tener cosas es bueno. Conseguir más dinero es bueno. Es bueno acumular más propiedades. Es bueno ser más productivo en términos económicos. Es bueno tener más. Es bueno tener más. Lo repetimos y nos lo repiten, una y otra vez, hasta que nadie se molesta siquiera en pensar de otra manera. La persona común y corriente está tan obnubilada por todo eso que pierde la perspectiva de lo que es realmente importante.

—Toda la vida me he encontrado con gente que quería engullir algo más —continuó—. Adquirir un nuevo carro. Tragarse otro trozo de propiedad. Poseer el juguete más novedoso. Y eso era lo que querían contarle a uno. "¡Adivina qué me conseguí! ¡Adivina qué me conseguí!" ¿Sabes cómo interpreté eso siempre? Esta gente estaba tan hambrienta de amor que aceptaba sucedáneos. Se abrazaban a las cosas materiales esperando una especie de abrazo en respuesta. Pero nunca funciona así. Uno no puede sustituir el amor, o el cariño, o la ternura, o el sentimiento de camaradería por cosas materiales. El dinero no es un sustituto para la ternura, y el poder tampoco. Te lo digo porque me estoy muriendo aquí sentado, y ni el dinero ni el poder te pueden dar el sentimiento que estás buscando, no importa cuánto tengas.

Eché una ojeada al estudio de Morrie. Se veía igual al día en que lo había visitado por primera vez. Los libros estaban en los mismos lugares en la biblioteca. Los papeles se apilaban sobre el mismo viejo escritorio. Los cuartos de afuera no se habían redecorado o mejorado. De hecho, Morrie no había comprado nada nuevo, a excepción de equipo médico, en un largo período de tiempo, tal vez años. El día en que supo que tenía una enfermedad terminal, ese día perdió el interés en su poder de adquisición.

La televisión era el mismo modelo anticuado, el automóvil que Charlotte conducía era el mismo de antes, los platos y los cubiertos y las toallas, todo era lo mismo. Y a pesar de eso, la casa había cambiado en forma drástica. Se había llenado de amor, de enseñanzas, de comunicación. Se había llenado de amistad, amor filial, honestidad y lágrimas. Se había llenado de colegas y estudiantes y maestros de meditación y terapistas y enfermeras y grupos de canto. Se había convertido, de manera verdadera, en un hogar rico, a pesar de que la cuenta bancaria de Morrie se agotaba rápidamente.

—En este país hay una gran confusión entre lo que queremos y lo que necesitamos —dijo Morrie—. Necesitas comida, pero quieres un helado de chocolate. Hay que ser honesto con uno mismo. Uno no necesita el último automóvil deportivo, uno no necesita la casa más grande. La verdad es que uno no obtiene satisfacción de tener esas cosas. ¿Sabes qué es lo que sí te da satisfacción?

—¿Qué?

—Ofrecerles a los demás lo que puedes dar.

—Suenas como un boy scout.

—No me refiero a dinero, Mitch, sino a tu tiempo. Tu atención. Tus historias. No es tan difícil. Hay un centro para ancianos que se abrió aquí cerca. Allá van docenas de ancianos todos los días. Si eres joven y sabes hacer algo, se te pide que vayas y lo enseñes. Digamos que sabes de computadores. Vas allá y les enseñas de computadores. Allá serás bienvenido. Y te lo agradecen muchísimo. Así es como empiezas a ganar respeto, ofreciendo algo que tú tienes.

—Hay muchos lugares donde puedes hacer eso —continuó—. No se requiere tener un gran talento. Hay gente solitaria en hospitales y centros de asistencia que sólo quieren algo de compañía. Al jugar cartas con un viejo, te respetas más a ti mismo porque alguien te necesita. ¿Recuerdas lo que dije de encontrarle un sentido a la vida? Lo escribí, pero ahora lo puedo recitar: dedícate a amar a los demás, dedícate a la comunidad que te rodea y dedícate a crear algo que te dé un propósito y un sentido. Si te fijas —añadió sonriendo—, no se dice nada acerca del salario.

Anoté lo que Morrie decía en un papel. Lo hice ante todo porque no quería que me mirara a los ojos y supiera lo que estaba pensando: que yo me había pasado mucho tiempo, casi toda mi vida después del grado, persiguiendo esas metas que él había estado atacando, juguetes más grandes, una casa más bonita. Debido a que trabajaba entre deportistas ricos y famosos, me convencí de que mis necesidades eran realistas y que mi ambición era insignificante comparada con la de ellos.

Pero eso no era más que una cortina de humo. Para Morrie fue obvio.

—Mitch, si estás tratando de exhibirte ante personas que están en la cima del mundo, olvídalo. Ellos siempre te van a mirar por encima del hombro. Y si tratas de exhibirte ante los de abajo, olvídalo. Ellos sólo te van a envidiar. El status no te lleva a ninguna parte. Sólo un corazón abierto te permitirá flotar en igualdad de condiciones entre todos.

Hizo una pausa y me miró.

—Me estoy muriendo, ¿cierto?

—Sí.

—¿Por qué crees que es tan importante para mí escuchar los problemas de otra gente?

¿Acaso no tengo suficiente dolor y sufrimiento con mi situación? Claro que sí. Pero darles a otros es lo que me hace sentirme vivo. No mi casa ni mi automóvil. No la manera en que me veo en el espejo. Cuando doy mi tiempo, cuando logro que alguien sonría luego de que se siente triste, eso es lo más cerca que he estado de tener buena salud otra vez. Haz lo que te salga del corazón. Cuando lo haces, no te decepcionas ni sientes envidia, ni añoras las cosas que otro tiene. Al contrario, te vas a sorprender con lo que recibes a cambio.

Tosió y trató de alcanzar la campanita que tenía en la silla. Hizo unos cuantos intentos infructuosos y finalmente logró agarrarla y se la puso en la mano.

—Gracias —murmuró. Tocó la campana débilmente, tratando de llamar la atención de Connie—. Este Ted Turner —dijo— ¿no puede pensar en ninguna otra cosa para su lápida?

"Cada noche, cuando duermo, muero. Y a la mañana siguiente, cuando me despierto, renazco".

MAHATMA GANDHI

El noveno martes.
En el que hablamos sobre cómo perdura el amor

Las hojas habían empezado a cambiar de color y el camino a West Newton se había convertido en un cuadro de tonos dorados y rojizos. Allá en Detroit, la guerra laboral se había estancado y cada parte acusaba a la otra de no querer comunicarse. Las historias que se oían en los noticieros de televisión también eran deprimentes. En un área rural de Kentucky, tres hombres habían dejado caer pedazos de una lápida desde un puente, que al caer habían roto el vidrio panorámico de un automóvil, matando a una adolescente que iba en viaje de peregrinación religiosa con su familia. En California, el juicio a O. J. Simpson se acercaba a su conclusión y todo el país estaba obsesionado con el asunto. Incluso en los aeropuertos había televisiones que colgaban del techo, de manera que uno no perdiera detalle de lo que ocurría con el juicio mientras estaba de paso por el aeropuerto.

Yo había tratado de llamar a mi hermano a España varias veces. Le dejé mensajes diciendo que de verdad quería hablar con él y que había estado pensando mucho en nosotros. Unas semanas después recibí un corto mensaje suyo que decía que todo iba bien, pero que lo lamentaba y no se sentía como para hablar de enfermedades.

En cuanto a mi viejo maestro, no era el hablar sobre la enfermedad lo que lo tenía acabado sino la enfermedad misma. Desde mi última visita, una enfermera le había insertado un catéter en el pene, que llevaba la orina por un tubo hasta una bolsa al pie de su silla. Había que estar pendiente de sus piernas (pues todavía podía sentir dolor aunque no las podía mover, otra de las crueles ironías de su enfermedad), y a menos que sus pies colgaran a la altura apropiada, sentía como si alguien lo estuviera pinchando con un tenedor. En medio de las conversaciones, Morrie tenía que pedirle a sus visitas que le levantaran o le movieran los pies sólo unos centímetros, o que le acomodaran la cabeza para que encajara mejor en la cavidad de los almohadones de colores. ¿Qué tal no ser capaz de mover siquiera la cabeza?

En cada visita, Morrie parecía estarse derritiendo en la silla y su columna tomaba la forma de ésta. A pesar de eso, todas las mañanas insistía en que lo sacaran de la cama y lo llevaran al estudio, para estar entre sus libros y sus papeles y la planta de hibisco de la ventana. Como era normal en él, encontró algo filosófico en todo esto.

—Lo reúno todo en mi aforismo más reciente —dijo.

—¿Cuál es?

—"Quedarse acostado es como estar muerto y enterrado".

Sonrió. Sólo Morrie podía sonreír con algo así.

Lo habían estado llamando de *Nightline,* incluso el mismo Ted Koppel.

—Quieren venir otra vez, para hacer otro programa conmigo —dijo—. Pero dicen que quieren esperar más tiempo.

—¿Esperar más? ¿Hasta tu último suspiro?

—Tal vez. En todo caso, no falta mucho.

—No digas eso.

—Perdón.

—Eso me irrita, que quieran esperar a que estés acabado.

—Te irrita porque te preocupas por mí —sonrió—. Mitch, tal vez ellos me estén usando para mostrar un drama. Eso está bien. Tal vez yo también los estoy usando. Me ayudan a que mi mensaje llegue a millones de personas. No podría hacerlo sin ellos, ¿no crees? Así que es una transacción justa.

Tosió y la tos se convirtió en gárgaras sin fin, para terminar con otro pegote en un pañuelo arrugado.

—De todas formas —dijo Morrie—, les dije que mejor no esperaran demasiado porque mi voz se puede acabar pronto. Cuando esta cosa me llegue a los pulmones, hablar me puede resultar imposible. Ahora no puedo hablar largo sin tomarme un descanso. Ya he tenido que rechazar a mucha gente que quería hablar conmigo. Son tantos, Mitch. Pero estoy muy fatigado. Si no puedo ponerles toda la atención, no puedo ayudarles.

Contemplé la grabadora sintiéndome culpable, como si me estuviera robando lo que quedaba de su tiempo precioso para hablar.

—¿Quieres que lo dejemos? —pregunté—. ¿Te cansa mucho?

Morrie cerró los ojos y negó con la cabeza. Parecía estar esperando a que pasara algún dolor silencioso.

—No —dijo finalmente—. Tú y yo tenemos que seguir adelante. Ésta es nuestra última tesis juntos, ¿no?

—Nuestra última tesis.

—Y queremos hacerla bien.

Pensé en la primera tesis que habíamos hecho juntos, en la universidad. Fue idea de Morrie, claro. Me dijo que yo era lo suficientemente bueno para escribir una tesis de licenciatura, algo en lo que yo nunca había pensado.

Ahora estábamos haciendo lo mismo, una vez más. Empezando con una idea. El hombre que muere habla con el que vive, le dice lo que debería saber. Esta vez yo tenía menos afán de terminar.

—Alguien me hizo una pregunta interesante ayer —dijo Morrie, mirando el muro tras de mí, sobre el que había una colcha de retazos con mensajes esperanzadores que sus amigos le habían cosido cuando cumplió 70 años. Cada parche tenía un mensaje diferente: "Sigue así", "Lo mejor está aún por llegar", "Morrie: ¡siempre el primero en salud mental!"

—¿Cuál fue la pregunta? —lo interrogué.

—Si me preocupaba caer en el olvido tras mi muerte.

—¿Y te preocupa?

—No creo que me llegue a preocupar. Hay tanta gente con la que me he involucrado de manera cercana, íntima. Y el amor es lo que te mantiene vivo, incluso después de que te has ido.

—Suena como la letra de una canción: "El amor es lo que te mantiene vivo".

Morrie se rió.

—Tal vez. Pero Mitch, piensa en todas estas charlas que hemos tenido. ¿Vuelves a oír mi voz cuando estás de vuelta en casa? ¿Cuándo estás solo? ¿Tal vez en el avión? ¿Tal vez en el automóvil?

—Sí —admití.

—Entonces no me olvidarás cuando me haya ido. Piensa en mi voz y allí estaré.

—Pensaré en tu voz.

—Y si quieres llorar un poco, está bien.

Morrie. Había querido hacerme llorar desde que me conoció en primer año. "Uno de estos días te voy a vencer", decía. "Sí, claro", contestaba yo.

—Ya sé qué quiero poner en mi lápida —dijo.

—No quiero saber nada de lápidas.

—¿Por qué? ¿Te ponen nervioso?

Me encogí de hombros.

—Está bien, podemos olvidarnos de eso.

—No, continúa. ¿Qué pensaste?

Morrie abrió los labios.

—Estaba pensando en esto: "Un maestro hasta el final".

Esperó a que yo lo pensara.

—Un maestro hasta el final.

—¿Te gusta? —dijo.

—Sí —dije—. Me gusta mucho.

Llegué a encariñarme con la forma en que Morrie parecía iluminarse cuando yo entraba en la habitación. Hacía lo mismo con mucha gente, eso lo sé, pero lo importante era su talento especial para hacer sentir a cada visitante que la sonrisa que le dirigía era única.

—¡Aaaah! Pero si es mi amigo —decía cuando me veía, con esa voz nebulosa y aguda.

Y la cosa iba más allá del saludo. Cuando Morrie estaba con uno, de verdad estaba con uno. Lo miraba a uno a los ojos, como si fuera la única persona en el mundo. La gente se llevaría mucho mejor entre sí, si el primer encuentro de cada día fuera como ésos con Morrie en lugar del gruñido de una mesera, o de un chofer de autobús o de un jefe.

—Creo en estar totalmente presente —dijo Morrie—. Eso significa que deberías estar con la persona con la que estás. Cuando hablo contigo, Mitch, trato de mantenerme concentrado únicamente en lo que pasa entre nosotros. No estoy pensando en lo que dijimos hace una semana. No pienso en lo que pasará el próximo viernes. No pienso en otro programa con Koppel, o sobre los remedios que tengo que tomar. Estoy hablando contigo. Estoy pensando en ti.

Recordé cómo solía enseñar esa idea en su curso de procesos grupales en Brandeis. Yo me había burlado, pensando que eso no podía ser un tema para un curso universitario. ¿Aprender a prestar atención? ¿Qué tan importante podría ser eso? Ahora sé que es más importante que casi todo lo que aprendí en la universidad.

Morrie hizo un movimiento hacia mi mano, y mientras se la daba sentí que me inundaba el remordimiento. Estaba frente a un hombre que, si quería, podía pasarse cada instante compadeciéndose, sintiendo el deterioro de su cuerpo, contando sus respiraciones. Muchas personas con problemas bastante menores se dejan absorber por completo y empiezan a mirar hacia otro lado si uno les habla durante más de treinta segundos. Ya tienen algo más en mente, una llamada a un amigo, un fax que enviar, un amante en el cual están pensando. Vuelven a recobrar la atención total cuando uno termina de hablar, punto en el cual dicen "Ajá" o "Sí, claro" y fingen que estaban poniendo atención.

—Parte del problema, Mitch, es que todo el mundo tiene tanta prisa —dijo Morrie—. La gente no le encuentra sentido a la vida, así que se la pasa corriendo todo el tiempo, buscando ese sentido. Piensan en el próximo auto que van a tener, la próxima casa, el próximo trabajo. Luego encuentran que esas cosas también están vacías y siguen corriendo.

—Cuando empiezas a correr —dije—, es difícil andar más lentamente.

—No tanto —dijo, moviendo la cabeza—. ¿Sabes qué hacía yo? Cuando alguien me quería adelantar en la calle, cuando todavía podía conducir, levantaba la mano...

Trató de hacerlo, pero la mano se levantó débilmente, sólo unos quince centímetros.

—Levantaba la mano, como si fuera a hacer un gesto de negación, y luego saludaba y sonreía. En lugar de insultarlos, uno los deja pasar y les sonríe y ¿sabes qué? Muchas veces me contestaban la sonrisa. La verdad es que no tengo por qué apurarme tanto por un automóvil. Más bien le pongo mis energías a la gente.

Esto era algo que Morrie hacía mejor que

cualquier otra persona que yo hubiera conocido. Los que estaban a su alrededor habían visto cómo se le aguaban los ojos cuando le contaban algo espantoso, o lo habían visto retorcerse de risa cuando le contaban un chiste muy malo. Siempre estaba dispuesto a mostrar abiertamente las emociones que con tanta frecuencia le hacían falta a mi generación. Somos unos genios para las conversaciones insignificantes: "¿A qué te dedicas? ¿Dónde vives?" Pero el acto de escuchar a alguien de verdad, sin tratar de venderle algo, convertirlo o reclutarlo, u obtener algún tipo de status a cambio, ¿qué tanto lo hacemos ahora?

Creo que muchos de los que visitaron a Morrie en sus últimos meses lo hicieron buscando no la atención que ellos le querían poner a él, sino la que él les ponía a ellos. A pesar de su dolor y decrepitud, este viejecito los escuchaba de la manera en que ellos siempre habían querido que alguien lo hiciera.

Le dije que él era el padre que todos quisieran tener.

—Bueno —dijo, cerrando los ojos—, tengo algo de experiencia en ese campo.

La última vez que Morrie vio a su padre fue en una morgue. Charlie Schwartz era un hombre tranquilo al que le gustaba leer el periódico solo, bajo un poste en Tremont Avenue en el Bronx. Todas las noches, cuando Morrie era niño, Charlie salía a dar una vuelta después de la cena. Era un ruso menudo, de mejillas coloradas y abundante cabello gris. Morrie y su hermano David lo miraban desde la ventana y lo veían apoyado contra el poste, y Morrie deseaba que entrara y les hablara, pero muy pocas veces lo hacía. Tampoco los abrazaba ni les daba un beso de buenas noches.

Morrie siempre juró que él haría esas cosas por sus hijos, si llegaba a tenerlos. Y años más tarde, cuando los tuvo, lo hizo.

Mientras Morrie criaba a sus hijos, Charlie seguía viviendo en el Bronx. Aún salía a caminar. Aún leía el periódico. Una noche salió después de cenar. A unas cuadras de su casa, dos ladrones lo detuvieron.

—Dénos el dinero —dijo uno, sacando una pistola.

Charlie, asustado, le tiró la billetera y salió

corriendo. Corrió por las calles y siguió corriendo hasta que llegó a la entrada de la casa de un pariente, donde cayó al piso cuan largo era.

Un ataque al corazón.

Murió esa noche.

A Morrie lo llamaron para identificar el cadáver. Voló a Nueva York y fue a la morgue. Lo llevaron al sótano, al cuarto frío donde se guardan los cadáveres.

—¿Es su padre? —le preguntó el encargado.

Morrie contempló el cuerpo tras el vidrio, el cuerpo del hombre que lo había regañado y lo había formado y le había enseñado a trabajar, que había permanecido en silencio cuando Morrie quería que hablara, que le había dicho a Morrie que enterrara los recuerdos de su madre cuando él quería compartirlos con el resto del mundo.

Asintió y salió. El horror de esa habitación, diría más tarde, lo privó de todas las demás funciones. No lloró sino hasta unos días después.

Sin embargo, la muerte de su padre le ayudó a prepararse para la suya propia. Esto era lo que sabía: habría muchos abrazos y besos y conversaciones y risas, y no se quedaría sin decirle adiós a nadie —todas las cosas que él no tuvo con su padre y su madre.

Cuando llegara el último momento, Morrie quería a sus seres queridos a su alrededor, conscientes de lo que estaba sucediendo. Nadie iba a recibir una llamada o un telegrama, o tendría que ir a mirar a través de una helada ventana en un sótano extraño.

En las selvas de Suramérica vive la tribu desana, que cree que en el mundo hay una cantidad fija de energía que fluye entre todas las criaturas. Cada nacimiento, por tanto, implica una muerte y cada muerte trae consigo otro nacimiento. De esta manera la energía del mundo permanece constante.

Cuando cazan, los desana saben que los animales que maten van a dejar un hueco en la dimensión espiritual. Pero ese hueco se llenará, según creen, con las almas de los cazadores desana cuando mueran. Si no hubiera hombres que murieran, no nacerían pájaros o peces. Me gusta esa idea. A Morrie también. Cuanto más se acerca al momento del adiós, más parece sentir que todos somos criaturas de la misma selva. Lo que tomamos, lo debemos devolver.

—Es apenas justo —dice.

El décimo martes.
En el que hablamos del matrimonio

Traje a alguien a conocer a Morrie. Mi esposa.

Me había estado preguntando desde el primer día que fui "¿Y cuándo voy a conocer a Janine? ¿Cuándo la vas a traer?" Siempre tuve alguna excusa, hasta un día en que llamé a su casa a ver cómo estaba.

Tuve que esperar un poco hasta que Morrie pasó al teléfono. Y cuando lo hizo, pude oír que alguien se lo mantenía cerca de la oreja. Ya no podía sostener el auricular él solo.

—Hoooola —jadeó.

—¿Cómo vas, Entrenador?

—Mitch, tu entrenador no anda muy bien hoy... —dijo tras exhalar con esfuerzo.

Sus horas de sueño eran cada vez peores. Necesitaba oxígeno casi todas las noches y los accesos de tos se habían vuelto aterradores. La tos le podía durar una hora y nunca sabía si sería capaz de pararla. Siempre decía que moriría cuando la enfermedad le atacara los pulmones. Sentí un escalofrío al pensar en lo cerca que estaba la muerte.

—Te veré el martes —le dije—. Ese día vas a estar mejor.

—¿Mitch?

—¿Sí?

—¿Tu esposa está ahí?

Estaba sentada a mi lado.

—Pásamela. Quiero oír su voz.

Afortunadamente estoy casado con una mujer que tiene una amabilidad intuitiva mucho mayor que la mía, y a pesar de que nunca había hablado con Morrie, tomó el teléfono —yo me habría negado susurrando "Di que no estoy, que no estoy"— y en un instante estaba hablando con mi profesor como si se hubieran conocido desde la universidad. Percibí todo eso aun cuando sólo oí: "Ajá, Mitch me dijo, bueno, ¡gracias!"

—Te voy a acompañar la próxima vez —me dijo cuando colgó.

Y eso fue todo.

Ese día nos sentamos en su oficina, alrededor de la silla reclinable. Morrie, según dijo, era un coqueto inofensivo y aunque tenía que detenerse para toser a cada momento, o para ir al baño, pareció encontrar nuevas energías con Janine en la habitación. Miró las fotos de nuestra boda, que Janine había traído.

—¿Eres de Detroit? —le dijo Morrie.

—Sí —dijo Janine.

—Di clases en Detroit durante un año, a finales de la década de los cuarenta. Tengo un cuento divertido de esos tiempos.

Se detuvo para sonarse. Cuando lo vi buscar a tientas el pañuelo, se lo puse en la nariz y se sonó débilmente. Exprimí con suavidad sus fosas nasales y lo limpié, tal como hace una madre con un niño.

—Gracias, Mitch —miró a Janine—. Éste es mi ayudante.

Janine sonrió.

—En fin. Mi cuento. Había unos cuantos sociólogos en la universidad y solíamos jugar póker con otros miembros del personal, incluido un cirujano. Una noche, al terminar el juego me dijo: "Morrie, quiero ir a verte trabajar". Le dije que muy bien. Así que fue a una de mis clases. Cuando la clase terminó, me dijo: "Muy bien, y ahora ¿quieres ir a ver mi trabajo? Esta noche tengo una operación". Yo quería devolverle el favor, así que acepté. Me llevó al hospital. Me dijo: "Lávate y ponte un tapabocas y una bata". Y lo próximo que supe era que estaba a su lado frente a una mesa de operaciones. Allí estaba la mujer, la paciente, sobre la mesa, desnuda de la cintura para abajo. Y él tomó un bisturí y la abrió, ¡así no más! Bien...

Morrie alzó un dedo y lo hizo girar.

—Me sentí totalmente mareado. Sentía que me iba a desmayar. Toda esa sangre. ¡Guac! La enfermera que estaba junto a mí me dijo: "¿Qué le pasa, doctor?" y yo le contesté: "¡No soy ningún doctor! ¡Sáquenme de aquí!"

Nos reímos y Morrie se rió también, tanto como se lo permitía su menguada respiración. Era la primera vez en semanas que lo había visto contar una historia así. Qué raro, pensé. Casi se desmaya al ver la enfermedad de otra persona, pero ahora era capaz de soportar la propia.

Connie golpeó a la puerta y dijo que el almuerzo de Morrie estaba listo. No era la sopa de zanahoria, los pasteles de verdura y la pasta a la griega de "Pan y Circo", que yo había llevado esa mañana. Aunque yo trataba de comprar la comida más blanda, incluso eso ya estaba más allá de los límites de Morrie para masticar y tragar. Estaba comiendo suplementos líquidos más que todo, y tal vez un muffin de salvado desmenuzado hasta quedar reducido a una especie de papilla fácilmente digerible. Ahora Charlotte preparaba purés de todo lo imaginable en la licuadora. Morrie comía con pitillo. Yo aún compraba cosas cada semana y llegaba con las bolsas para mostrarle, pero era más por la expresión de su cara que por cualquier otra cosa. Al abrir el refrigerador y ver la cantidad de recipientes, supongo que esperaba que algún día volviéramos a comernos un almuerzo de verdad juntos, y volverlo a ver otra vez hablando con la boca llena y salpicando a su alrededor pedacitos de comida. Era una esperanza ilusa.

—Entonces... Janine —dijo Morrie.

Ella sonrió.

—Eres encantadora, dame la mano.

Ella lo hizo.

—Mitch dice que eres cantante profesional.

—Sí —dijo Janine.

—Dice que eres fantástica.

—Ah —se rió—. No. No es para tanto.

Morrie arqueó las cejas.

—¿Cantarías algo para mí?

He oído a mucha gente pedirle esto mismo a Janine desde que la conocí. Cuando la gente descubre que uno se gana la vida cantando, siempre dice "Canta algo". Janine es tímida con su talento y muy perfeccionista, así que nunca lo hace. Se excusa cortésmente. Eso era lo que yo esperaba que dijera. Pero ella empezó a cantar:

De sólo pensar en ti,
me olvido de hacer
las pequeñas cosas que todos tenemos que hacer...

Era un clásico de la década de los treinta, escrito por Ray Noble, y Janine lo cantaba con dulzura, mirando a Morrie a los ojos. Me sorprendió una vez más su capacidad para hacer emocionar a personas que, de otra forma, mantenían sus sentimientos bien guardados. Morrie cerró los ojos para absorber las notas. A medida que la amorosa voz de mi esposa llenaba la habitación, una medialuna de sonrisa fue apareciendo en la cara de Morrie. Y aunque su cuerpo estaba más rígido que un saco de arena, uno casi que lo podía ver bailando en su interior.

Veo tu cara en cada flor,
tus ojos en lo alto en las estrellas,
y es sólo de pensar en ti,
de pensar en ti,
mi amor...

Cuando acabó, Morrie abrió los ojos y las lágrimas le rodaron por las mejillas. En todos los años que llevaba escuchando cantar a mi esposa, nunca la había escuchado de la forma en que Morrie lo hizo.

Matrimonio. Casi toda la gente que conocía tenía problemas con eso. Algunos tenían problemas para casarse, otros para terminar con sus matrimonios. Mi generación parecía tener que luchar contra el compromiso, como si fuera un caimán de algún pantano de aguas turbias. Me había acostumbrado a asistir a bodas, a felicitar a la gente y a sorprenderme sólo muy poco cuando veía al novio pocos años más tarde, en un restaurante, con una mujer más joven a quien me presentaba como una amiga. "Ya sabes, me separé de fulana...", decía.

¿Por qué tenemos esos problemas?, le pregunté a Morrie. Tras esperar siete años para proponerle matrimonio a Janine, me preguntaba si la gente de mi edad era más cuidadosa que la de antes, o simplemente más egoísta.

—La verdad es que tu generación me da tristeza —dijo Morrie—. En esta cultura es muy importante encontrar una relación amorosa con alguien, porque la mayor parte de la cultura no te da eso. Pero los pobres muchachos de hoy en día o son demasiado egoístas para involucrarse en una verdadera relación amorosa, o se apuran a casarse y luego, a los seis meses, se divorcian. No saben lo que esperan de su pareja. No saben quiénes son ellos mismos, así que ¿cómo van a saber con quién se casan?

Suspiró. Morrie había aconsejado a muchos amantes infelices durante sus años como profesor.

—Es triste, porque es muy importante tener a un ser amado. Uno se da cuenta de eso especialmente en un momento como el que yo estoy viviendo ahora, cuando a uno no le va muy bien. Los amigos son una maravilla, pero no van a estar ahí una noche en la que te da un ataque de tos y no puedes dormir, y alguien se tiene que quedar despierto contigo, consolándote, tratando de ayudarte.

Charlotte y Morrie se conocieron cuando ambos eran estudiantes y llevaban 44 años casados. Ahora yo los veía juntos y ella le recordaba que tomara su remedio, o venía y le acariciaba el cuello, o hablaba de alguno de sus hijos. Trabajaban en equipo y casi siempre necesitaban sólo una mirada para darse a entender lo que estaban pensando. Charlotte era una persona introvertida, diferente a Morrie, pero yo sabía cuánto la respetaba él porque a veces, cuando hablábamos, decía: "A Charlotte le puede incomodar si te cuento esto", y acababa la conversación. Eran los únicos momentos en los que Morrie se guardaba algo.

—He aprendido esto sobre el matrimonio —dijo entonces—. Te pone a prueba. Descubres quién eres, quién es la otra persona y cómo se adaptan o no se adaptan el uno al otro.

—¿Hay alguna regla que permita saber si un matrimonio va a funcionar o no?

Morrie sonrió.

—Las cosas no son tan sencillas, Mitch.

—Ya sé.

—A pesar de todo —dijo—, hay unas cuantas reglas que sé que son ciertas sobre el amor y el matrimonio: si no respetas a la otra persona, vas a tener muchos problemas. Si no sabes comprometerte, vas a tener muchos problemas. Si no puedes hablar abiertamente de lo que pasa entre los dos, vas a tener muchos problemas. Y si no tienen una escala de valores en común, vas a tener problemas. Los valores de ambos deben ser similares. Y ¿sabes cuál de esos es el valor principal, Mitch?

—¿Cuál?

—Creer en la importancia de ese matrimonio.

Tomó aire y cerró los ojos por un momento.

—Personalmente —suspiró todavía con los ojos cerrados—, creo que casarse es muy importante; y si uno no lo intenta, se pierde de muchas cosas.

Cerró el tema citando el poema en el que creía como si fuera una oración: "Amáos los unos a los otros o pereced".

—Bueno, una pregunta —le digo a Morrie.

Los dedos huesudos sostienen las gafas sobre el pecho que sube y baja con cada respiración.

—¿Cuál es la pregunta? —dice.

—¿Recuerdas el Libro de Job?

—¿El de la Biblia?

—Exacto. Job es un buen hombre, pero Dios lo hace sufrir para probar su fe.

—Ya recuerdo.

—Le quita todo lo que tiene, su casa, su dinero, su familia…

—Su salud.

—Hace que se enferme

—Para probar su fe.

—Exacto, para probar su fe. Así que me pregunto…

—¿Qué te preguntas?

—¿Qué piensas de eso?

Morrie tose con violencia. Las manos le tiemblan al dejarlas caer a los lados.

—Creo —dice sonriendo—, que a Dios se le fue un poco la mano.

El undécimo martes.
En el que hablamos de nuestra cultura

—Pégale más duro.

Le di una palmada a Morrie en la espalda.

—Más duro.

Le di otra palmada.

—Cerca de los hombros... ahora más abajo.

Morrie estaba en pantalones de piyama, recostado de lado en la cama, con la cara colorada apoyada contra la almohada y la boca abierta. La fisioterapeuta me mostraba cómo sacarle el veneno de los pulmones, cosa que había que hacer regularmente ahora para evitar que se solidificara y permitir que siguiera respirando.

—Siempre... supe que... querías... pegarme —jadeó Morrie.

—Sí —le dije en broma, mientras golpeaba la piel de alabastro de su espalda con el puño—. ¡Éste es por la B que me pusiste en segundo año! ¡Paf!

Nos reímos, con la risa nerviosa de esos momentos en los que uno sabe que el diablo ronda por ahí. Habría sido una escena enternecedora si no fuera porque todos sabíamos exactamente lo que era: el calentamiento final antes de la muerte. Morrie había predicho que moriría asfixiado y yo no me podía imaginar una peor manera de dejar el mundo. A veces Morrie cerraba los ojos y trataba de llenarse de aire la nariz y la boca, y parecía como si tuviera que levantar un ancla.

Afuera hacía un clima como para usar chaqueta —principios de octubre— y las hojas se apilaban en montoncitos en los prados de West Newton.

La fisioterapeuta de Morrie había llegado más temprano ese día, y yo normalmente me retiraba cuando las enfermeras o algún especialista tenía algo que hacer con él. Pero a medida que las semanas pasaban y se nos acababa el tiempo, las penosas circunstancias físicas me importaban cada vez menos. Yo quería estar allí. Quería observarlo todo. Eso no era normal en mí, pero tampoco eran normales muchas de las cosas que habían pasado en la casa de Morrie en los últimos meses.

Así que observé el trabajo de la terapista sobre Morrie en la cama, golpeando suavemente la parte anterior de las costillas, preguntándole si sentía que la congestión se aliviaba. Y cuando se tomó un descanso, me preguntó si quería intentarlo yo. Dije que sí. Morrie, con la cara sobre la almohada, sonrió levemente.

—No muy duro —dijo—. Que soy un hombre viejo.

Le di golpecitos sobre la espalda y los lados del tronco, moviendo las manos como ella me decía. Detestaba pensar en Morrie tendido en una cama bajo cualquier circunstancia (su último aforismo, "Quedarse acostado es como estar muerto y enterrado", resonaba en mis oídos), y de lado se veía tan pequeño, tan encogido, que parecía más el cuerpo de un niño que el de un hombre. Vi la palidez de la piel, el escaso cabello canoso, la manera en que los brazos le colgaban inertes e inservibles. Pensé en todo el tiempo que pasamos tratando de darle forma a nuestros cuerpos, alzando pesas, haciendo sentadillas, y al final la naturaleza nos quita todo eso de una u otra manera. Bajo mis dedos sentía la carne floja que rodeaba los huesos de Morrie, y lo golpeaba con fuerza, tal como me decía la terapista. La verdad es que dirigía mis golpes hacia su espalda, cuando en realidad hubiera querido derribar las paredes.

—¿Mitch? —jadeó Morrie con la voz irregular, como el sonido de un taladro neumático por los golpes que yo le daba.

—¿Sí?

—¿Cuán...do... te puse... una... B?

Morrie creía que las personas eran esencialmente buenas. Pero también se daba cuenta de lo que podían llegar a ser.

—La gente sólo se vuelve mezquina cuando se siente amenazada —dijo más tarde ese mismo día—. Y lo que hace nuestra cultura es amenazarla. Eso es lo que hace nuestra economía. Incluso la gente que tiene trabajo dentro de la economía está amenazada, porque le preocupa perderlo. Y cuando uno está bajo amenazas, sólo piensa en sí mismo. Empieza a convertir el dinero en un dios. Todo es parte de esta cultura —exhaló—. Por eso es que no me gusta.

Asentí y le di un apretoncito en la mano. Ahora nos tomábamos de la mano frecuentemente. Éste era otro cambio para mí. Ciertas cosas que antes me hubieran avergonzado o me hubieran fastidiado, ahora me resultaban parte de la rutina. La bolsa del catéter, conectada al tubo que salía de Morrie y llena del líquido verdoso de deshecho, yacía cerca de mi pie, junto a la pata de la silla. Pocos meses atrás eso me habría molestado; ahora me resultaba indiferente. Igual que el olor del cuarto después de que Morrie "iba al baño". No podía permitirse el lujo de ir de un lugar a otro, de cerrar la puerta del baño tras él y esparcir un poco de ambientador al salir. Allí estaba su cama, allí estaba su silla y ésa era su vida. Si mi vida se redujera a esas cuatro paredes, dudo que pudiera hacer que oliera mejor.

—Esto es lo que quiero decir cuando hablo de construir una subcultura propia —dijo Morrie—. No quiero decir que uno deba olvidarse de todas las reglas de su comunidad. Yo no ando por ahí desnudo, por ejemplo. No me paso los semáforos en rojo. Respeto las cosas pequeñas. Pero las grandes, la manera de pensar, lo que valoramos, ésas hay que escogerlas cada cual por su lado. Uno no puede dejar que nadie, ni ninguna sociedad, las determine por uno. Mira mi situación. Las cosas por las que se supone que me debo avergonzar —como no poder caminar, ni limpiarme el trasero, o despertarme algunos días con ganas de llorar—, no hay nada que sea verdaderamente vergonzoso en ellas. Es lo mismo que significa para las mujeres no ser lo suficientemente delgadas, o para los hombres no ser lo suficientemente ricos. Es sólo lo que nuestra cultura nos hace creer. No lo creas.

Le pregunté a Morrie por qué no se había ido a otra parte cuando era más joven.

—¿A dónde?

—No sé. A Suramérica. A Nueva Guinea. A un lugar que no fuera tan egoísta como los Estados Unidos.

—Cada sociedad tiene sus propios problemas —dijo Morrie, arqueando las cejas, lo más cercano para él a encogerse de hombros—. La solución, según creo, no es huir. Tienes que trabajar para crear tu propia cultura.

—Mira, no importa dónde vivas, el peor defecto de los seres humanos es nuestra miopía —continuó—. No vemos lo que podríamos llegar a ser. Deberíamos estar observando nuestro potencial, esforzándonos por lo que podemos llegar a ser. Pero si uno está rodeado de gente que dice "Quiero lo mío ahora", terminas con un puñado de personas que lo posee todo y un militar que trata de evitar que los pobres se subleven y se lo roben.

Morrie miró por encima de mi hombro hacia la ventana. A veces se oía un camión que pasaba o una ráfaga de viento. Contempló un momento las casas vecinas y luego prosiguió.

—El problema, Mitch, es que no creemos que seamos tan semejantes como en realidad somos. Blancos y negros, católicos y protestantes, hombres y mujeres. Si nos diéramos cuenta de lo semejantes que somos, estaríamos ansiosos por unirnos en una sola gran familia humana en este mundo, y cuidaríamos de esa familia de la misma manera en que cuidamos de nuestra propia familia. Pero créeme, cuando te estás muriendo ves que eso es cierto. Todos tenemos el mismo comienzo, el nacimiento, y todos tenemos el mismo fin, la muerte. Así que, ¿qué tan diferentes podemos ser? Cree en la familia humana. Cree en la gente. Construye una pequeña comunidad con aquellos que amas y que te aman.

Apretó mi mano con cariño. Le devolví el apretón con más fuerza. Y como en ese juego en el que uno golpea una base con un martillo y ve un disco que se eleva por un poste, casi que pude ver el calor de mi cuerpo que subía por el pecho de Morrie, por su cuello, hasta sus mejillas y sus ojos. Sonrió.

—Al principio de la vida, cuando somos bebés, necesitamos de otros para sobrevivir, ¿cierto? Y al final de la vida, cuando uno se vuelve como yo, necesitas a otros para sobrevivir, ¿cierto? —su voz bajó hasta convertirse en un suspiro—. Pero el secreto es que en medio de esos extremos también necesitamos a los demás.

Más adelante esa tarde, Connie y yo fuimos a la habitación para ver el veredicto contra O. J.

Simpson. Fue una escena tensa pues todos los protagonistas estaban de frente al jurado; Simpson, vestido de azul, rodeado por su miniejército de abogados, y los fiscales que lo querían poner tras las rejas a unos pocos metros. Cuando el presidente del jurado leyó el veredicto —"inocente"—, Connie gritó.

—¡Dios mío!

Vimos a Simpson abrazar a sus abogados. Escuchamos las explicaciones de los comentaristas sobre lo que eso significaba. Vimos las multitudes negras celebrando en las calles frente al juzgado, y las multitudes blancas observando asombradas en restaurantes. La decisión se aclamó como algo memorable, a pesar de que todos los días se cometen asesinatos. Connie salió al corredor. Había visto suficiente.

Oí cerrarse la puerta del estudio de Morrie. Miré la televisión. Todo el mundo está viendo esta cosa, me dije. Y en ese momento, desde el otro cuarto, oí el alboroto que se formaba cada vez que a Morrie lo alzaban de su silla y sonreí. Mientras "el juicio del siglo" llegaba a su dramático fin, mi profesor iba al baño.

Es el año 1979 y se desarrolla un partido de baloncesto en el gimnasio de Brandeis. El equipo juega bien y el público de estudiantes empieza a corear: "¡Somos los mejores! ¡Somos los mejores!" Morrie está sentado cerca. El canto lo desconcierta. En determinado momento, en medio de "¡Somos los mejores!", se levanta y grita: "¿Y qué hay de malo en ser los segundos?"

Los estudiantes lo miran. El canto se suspende. Morrie se sienta, sonriente y victorioso.

El audiovisual, tercera parte

El equipo de *Nightline* llegó por tercera y última vez. Todo el tono del asunto era distinto esta vez. Ya no se trataba tanto de una entrevista, como de una triste despedida. Ted Koppel había llamado varias veces antes de venir, y le había preguntado a Morrie si creía que podía hacerlo.

Morrie no estaba muy seguro de ser capaz.

—Ahora me siento fatigado todo el tiempo, Ted. Y me ahogo. Si no puedo decir algo, ¿lo dirás por mí?

Koppel dijo que claro. Y luego, este hombre que normalmente era muy parco añadió:

—Si no quieres hacerlo, no hay problema. De todas formas iré a decirte adiós.

Más tarde, Morrie sonreiría con picardía y diría:

—Lo estoy conquistando.

Y lo estaba haciendo. Koppel se refería ahora a Morrie como "su amigo". Había logrado extraer algo de consideración ¡hasta del mundo de la televisión!

Para la entrevista, que fue un viernes por la tarde, Morrie se puso la misma camisa que tenía el día anterior. Se cambiaba de camisa día de por medio y ése no era día de cambio, así que ¿por qué romper la rutina?

A diferencia de las anteriores sesiones Koppel-Schwartz, ésta se llevó a cabo de principio a fin en el estudio de Morrie, donde Morrie se había vuelto una especie de prisionero de su silla. Koppel le dio un beso apenas lo vio, y tuvo que encogerse al lado de la biblioteca para que ambos cupieran en la misma toma.

Antes de empezar, Koppel preguntó por el progreso de la enfermedad.

—¿Qué tan grave es la cosa, Morrie?

Morrie levantó una mano con debilidad, hasta su barriga. Sólo hasta allí podía llegar.

Koppel obtuvo su respuesta.

La cámara empezó a grabar la tercera y

última entrevista. Koppel preguntó si Morrie tenía más miedo ahora que la muerte estaba tan cerca. Morrie dijo que no; a decir verdad, estaba menos asustado. Dijo que iba alejándose del mundo exterior poco a poco; ya no hacía que le leyeran el periódico con tanta frecuencia, no le prestaba mucha atención al correo y en lugar de eso oía más música y veía cómo cambiaban de color las hojas a través de la ventana.

Había otras personas que sufrían de ALS, según Morrie sabía, algunas famosas como Stephen Hawking, el brillante físico autor de *Breve historia del tiempo*. Él vivía con un agujero en la garganta, hablaba a través de un sintetizador computarizado y escribía por medio de un sensor que registraba los movimientos de sus ojos.

Todo eso era admirable, pero no era la forma en la que Morrie quería vivir. Le dijo a Koppel que sabía cuándo sería el momento de decir adiós.

—Ted, para mí vivir significa que pueda ser receptivo con los demás. Significa que pueda demostrarles mis sentimientos y mis emociones. Hablarles. Sentir lo que ellos sienten... —exhaló—. Cuando eso se acabe, será el final de Morrie.

Hablaron como amigos. Tal como lo había hecho en las entrevistas anteriores, Koppel preguntó por el "test de limpiarse el trasero", con la esperanza, tal vez, de una respuesta humorística. Pero Morrie estaba muy cansado incluso para sonreír. Negó con la cabeza.

—Cuando voy al baño, ya no me puedo mantener erguido. Me voy de lado todo el tiempo y me tienen que sostener. Cuando termino, me tienen que limpiar. Así de grave está la cosa.

Le dijo a Koppel que quería morir con serenidad. Compartió su último aforismo: "No te des por vencido muy pronto, pero tampoco te aferres durante demasiado tiempo".

Koppel asintió con pena. Habían pasado sólo seis meses desde que hicieron el primer programa, pero Morrie Schwartz era evidentemente un despojo. Se había marchitado frente al país entero, como una miniserie sobre la muerte. Pero a medida que su cuerpo se deterioraba, su carácter brillaba con más fuerza aún.

Hacia el final de la entrevista, la cámara se

aproximó a Morrie —Koppel no se veía, sólo se oía su voz— cuando el presentador le preguntó a mi profesor si había algo que le quisiera decir a las millones de personas a las que había conmovido. Aunque ésa no fue su intención, no pude evitar pensar en un condenado a muerte al que se le piden sus últimas palabras.

—Hay que tener compasión por los demás —murmuró Morrie—. Y sentirse responsable por ellos. Si sólo aprendiéramos esas lecciones, este mundo sería mucho mejor —tomó aire y añadió su mantra—: "Amáos los unos a los otros o pereced".

La entrevista terminó, pero por alguna razón el camarógrafo siguió grabando y una escena más quedó registrada.

—Buen trabajo —dijo Koppel.

Morrie sonrió débilmente.

—Te di lo que tenía.

—Siempre lo haces.

—Ted, esta enfermedad me está golpeando el espíritu. Pero no lo va a doblegar. Podrá vencer a mi cuerpo, pero no a mi espíritu.

—Lo estás haciendo bien — dijo Koppel, a punto de llorar.

—¿Tú crees? —Morrie miró hacia arriba—. Estoy negociando con Él, allá arriba. Le pregunto si podré ser un ángel.

Fue la primera vez que Morrie admitió que hablaba con Dios.

El duodécimo martes. *En el que hablamos del perdón*

—Perdónate a ti mismo antes de morir. Y después perdona a los demás.

Eso me lo dijo unos días después de la entrevista de *Nightline.* El cielo estaba oscuro y parecía que fuera a llover, y Morrie estaba envuelto en una manta. Yo estaba a los pies de la silla, con sus pies entre las manos. Tenían callos y las uñas estaban amarillas. Yo tenía un frasquito de crema, me puse un poco en las manos y empecé a hacerle masajes en los tobillos.

Era otra de las cosas que había visto hacer a sus enfermeros durante meses, y ahora, en un intento por aferrarme a algo de Morrie, me había ofrecido a hacerlo yo mismo. La enfermedad había privado a Morrie de la posibilidad de mover incluso los dedos de los pies, pero aún podía sentir dolor y los masajes le ayudaban a aliviarlo. Además, claro está, a Morrie le gustaba que lo tocaran y lo acariciaran. Y a esta altura de la situación, yo estaba dispuesto a hacer cualquier cosa con tal de hacerlo feliz.

—Mitch —dijo, volviendo al tema del perdón—, no tiene sentido mantener una actitud de venganza o de terquedad. Esas cosas —suspiró—, esas cosas de las que tanto me arrepiento en la vida. Orgullo. Vanidad. ¿Por qué hacemos lo que hacemos?

Mi pregunta era sobre la importancia de perdonar. Había visto esas películas en las cuales el patriarca de la familia, en su lecho de muerte, llama al hijo al que había desheredado para que se reconcilien antes de que él muera. Me preguntaba si Morrie tendría algo de eso, una necesidad repentina de decir "lo siento" antes de morir. Morrie asintió.

—¿Ves esa escultura? —dijo, señalando con la cabeza hacia un busto que estaba en un estante alto, en la pared del fondo del estudio.

Nunca me había fijado en él antes. Era de bronce y representaba la cara de un hombre que apenas habría pasado los 40 años, con corbata y un mechón de pelo que le caía sobre la frente.

—Soy yo —dijo Morrie—. Un amigo mío la esculpió hace como 30 años. Se llamaba Norman. Solíamos pasar mucho tiempo juntos. Íbamos a nadar. Íbamos a Nueva York. Una vez fui a su casa en Cambridge, y él hizo ese busto en el sótano. Le tomó varias semanas porque quería hacerlo bien.

Estudié el rostro. Era muy extraño ver a un Morrie en tres dimensiones, tan saludable, tan joven, mirándonos hablar. Incluso en bronce tenía algo juguetón y pensé que su amigo había logrado plasmar un poco de su espíritu también.

—Y ésta es la parte triste la historia —dijo Morrie—: Norman y su esposa se fueron a vivir a Chicago. Poco después a mi esposa, Charlotte, hubo que hacerle una operación algo delicada. Norman y su esposa nunca nos llamaron a pesar de que supieron de la operación. Charlotte y yo estábamos muy dolidos porque ellos nunca aparecieron para ver cómo había resultado todo. Así que abandonamos la relación. A lo largo de los años me vi con Norman unas cuantas veces y él siempre trató de que nos reconciliáramos, pero yo no lo acepté. Su explicación no me parecía satisfactoria. Yo me puse digno y le volteé la espalda —la voz se le ahogó—. Mitch... hace unos años... murió de cáncer. Me sentí tan triste. Nunca más lo vi. Nunca llegué a perdonarlo. Me duele mucho...

Estaba llorando de nuevo, con sollozos suaves y quedos, y como tenía la cabeza echada hacia atrás, las lágrimas le rodaban hacia el lado de la cara antes de llegarle a los labios.

—Lo lamento —dije.

—No te preocupes —susurró—, las lágrimas ayudan.

Seguí frotándole con crema los dedos de los pies. Lloró durante unos minutos, solo con sus recuerdos.

—Pero no sólo tenemos que perdonar a los demás, Mitch —murmuró—. También tenemos que perdonarnos a nosotros mismos.

—¿A nosotros mismos?

—Sí, por todo lo que no hicimos. Todas las cosas que debimos haber hecho. No puedes quedarte lamentándote por lo que hubiera podido pasar. Eso no ayuda cuando uno está en una situación como la mía.

—Siempre quise que mi trabajo tuviera más impacto; hubiera querido escribir más libros. Solía mortificarme con eso. Ahora veo que eso no me sirvió de nada. Haz las paces. Uno tiene que hacer las paces con uno mismo y con la gente que lo rodea.

Me incliné sobre él y le sequé las lágrimas con un pañuelo. Morrie parpadeó. Hacía un ruido parecido a un ronquido leve al respirar.

—Perdónate. Perdona a los demás. No esperes, Mitch. No todos tienen tiempo como yo. No todo el mundo tiene tanta suerte.

Lancé el pañuelo al cesto de la basura y volví a fijar mi atención en sus pies. ¿Tanta suerte? Hice presión con el pulgar en su carne endurecida y él ni siquiera lo notó.

—La tensión de los opuestos, Mitch. ¿Recuerdas eso? ¿Las cosas que tiran desde distintas direcciones?

—Lo recuerdo.

—Me da tristeza que mi tiempo se acabe,

pero aprecio mucho la oportunidad que me da de hacer las cosas bien.

Estuvimos un rato en silencio, mientras la lluvia salpicaba las ventanas. La planta de hibisco seguía en pie, pequeña pero firme.

—Mitch —murmuró Morrie.

—¿Sí?

Seguí masajeando sus dedos, absorto en la tarea.

—Mírame.

Miré hacia arriba y vi que sus ojos me miraban con una gran intensidad.

—No sé por qué volviste a mí. Pero quiero decir esto... —hizo una pausa y la voz se le ahogó—. Si hubiera tenido otro hijo, habría querido que fueras tú.

Bajé la mirada, masajeando la carne agonizante de sus pies entre mis dedos. Por un instante me dio miedo, como si al aceptar sus palabras fuera a traicionar a mi propio padre. Pero cuando alcé la vista, vi a Morrie sonriendo tras las lágrimas y supe que no había nada de traición en un momento como ése.

Todo lo que me asustaba era decir adiós.

—Ya escogí el lugar en el que quiero que me entierren.

—¿Dónde?

—No queda muy lejos de aquí. En una colina, debajo de un árbol, y desde allí se ve un lago. Muy pacífico. Un buen lugar para pensar.

—¿Y estás planeando ponerte a pensar mucho allá?

—Estoy planeando estar muerto allá.

Se ríe. Y yo me río.

—¿Vas a ir a visitarme?

—¿A visitarte?

—Ven a hablar conmigo. Que sea en martes. Siempre vienes los martes.

—Somos gente de martes.

—Sí, gente de martes. Entonces, ¿vas a venir a conversar?

Morrie se ha debilitado muy rápidamente en los últimos tiempos.

—Mírame —dice.

—Te estoy mirando.

—¿Vas a ir a mi tumba? ¿A contarme tus problemas?

—¿Mis problemas?

—Sí.

—¿Y me vas a dar soluciones?

—Te daré lo que pueda darte. ¿Acaso no es lo que he hecho siempre?

Me imagino la tumba, en la colina, mirando al lago, un pedacito de tierra en donde lo pondrán y lo cubrirán de tierra, con una lápida encima. ¿En unas semanas tal vez? ¿O en unos días? Me veo allí, solo, con los brazos cruzados, mirando al infinito.

—No va a ser lo mismo —digo—, sin poderte oír hablar.

—¡Ah! Hablar...

Cierra los ojos y sonríe.

—Ponme atención: Cuando me muera, tú serás el que hable. Y yo te voy a escuchar.

El decimotercer martes. *En el que hablamos del día perfecto*

Morrie quería que lo cremaran. Lo había discutido con Charlotte y ambos pensaron que sería lo mejor. El rabino de Brandeis, Al Axelrad, un amigo de hacía tiempos y a quien habían escogido para que se encargara del funeral, había ido a visitar a Morrie y él le contó de sus planes de que lo cremaran.

—Una última cosa, Al.

—¿Sí?

—Asegúrate de que no me cocinen más de la cuenta.

El rabino se sorprendió. Pero Morrie se daba el lujo de hacer chistes sobre su cuerpo ahora. Cuanto más cerca estaba del final, más lo veía como una mera cáscara, un recipiente para el alma. Se marchitaba hasta convertirse en piel y huesos inútiles, eso hacía más fácil la partida.

—Nos asusta tanto ver la muerte —me dijo Morrie cuando llegué.

Ajusté el micrófono al cuello de su camisa, pero se resbalaba con frecuencia. Morrie tosió. Ahora tosía todo el tiempo.

—El otro día estaba leyendo que cuando alguien muere en un hospital, le tapan la cara con la sábana y se llevan el cuerpo tan pronto como pueden. No soportan la visión de la muerte y la gente se comporta como si la muerte fuera contagiosa.

Yo seguía ocupado con el micrófono. Morrie me miraba las manos.

—No es contagiosa, ¿sabes? La muerte es algo tan natural como la vida. Es parte del trato que hicimos.

Tosió de nuevo. Yo retrocedí y esperé, preparado, como siempre, para algo serio. Morrie había estado pasando malas noches. Noches de terror. Dormía unas pocas horas y luego lo acosaban los ataques de tos que lo despertaban. Las enfermeras venían a darle golpes en la espalda, para tratar de sacarle el veneno. Incluso si lograban que volviera a respirar normalmente, y "normalmente" significaba con la ayuda del tanque de oxígeno, la lucha lo dejaba fatigado durante todo el día siguiente.

Ese martes tenía el oxígeno puesto. Yo detestaba ver el tubo en su nariz. Para mí simbolizaba la impotencia. Quería quitárselo.

—Anoche... —dijo Morrie suavemente.

—¿Sí?

—... tuve un ataque terrible. Duró horas. Y en realidad no sabía si iba a salir con bien de él. No podía respirar. No dejaba de ahogarme. En determinado momento, empecé a sentirme mareado... y luego vino cierta paz y sentí que estaba listo para irme —sus ojos se abrieron—. Fue una sensación increíble, Mitch. Era como aceptar lo que estaba pasando, estar en paz. Estaba pensando en un sueño que tuve la semana pasada, en el que iba cruzando un puente hacia algo desconocido. Y estaba listo para internarme en lo que fuera que hubiera después.

—Pero no lo hiciste.

Morrie esperó un momento. Sacudió la cabeza levemente.

—No, no lo hice. Pero sentí que podía hacerlo, ¿me entiendes? Eso es lo que todos buscamos. Cierta reconciliación con la idea de estar muriendo. Si sabemos, al final, que podremos morir en paz, entonces podemos hacer lo más difícil de todo.

—Que es...

—Reconciliarnos con la vida.

Pidió ver la planta de hibisco que había en el alféizar de la ventana tras él. La acerqué hasta ponerla frente a sus ojos. Sonrió.

—Morir es natural —dijo de nuevo—. Lo convertimos en semejante lío porque no nos consideramos parte de la naturaleza. Pensamos que como somos humanos, estamos por encima de ella —le sonrió a la planta—. Pero no lo estamos. Todo lo que nace, muere —me miró—. ¿Aceptas eso?

—Sí.

—Muy bien —susurró—, ésa es la compensación. Ésa es la razón por la cual somos diferentes de las plantas y los animales. Mientras nos queramos unos a otros y tengamos presente el sentimiento del amor que tuvimos, podemos morir sin irnos del todo. Todo el amor que uno creó queda allí. Todos los recuerdos siguen allí. Uno sigue viviendo en los corazones de todos los que uno tocó y quiso mientras estuvo aquí.

La voz se le oía rasposa, lo que usualmente quería decir que necesitaba hacer una pausa. Puse la planta de nuevo en el alféizar y fui a apagar la grabadora. Ésta fue la última frase que Morrie dijo antes de que yo lo hiciera:

—La muerte es el final de una vida, pero no de una relación.

El tratamiento del ALS había progresado en los últimos tiempos: una droga experimental estaba ganando terreno en la lucha contra la enfermedad. No era una cura, sino un aplazamiento que desaceleraba el deterioro quizás durante unos meses. Morrie había oído hablar de esta droga, pero su estado ya era muy avanzado. Además, la droga no se conseguiría en el mercado hasta dentro de un tiempo.

—No es para mí —dijo Morrie, descartando esa posibilidad.

Durante todo el tiempo que estuvo enfermo, Morrie nunca abrigó la esperanza de curarse. Era realista en extremo. Una vez le pregunté qué pasaría si alguien tuviera una varita mágica y lo pudiera mejorar, ¿volvería a ser el hombre que había sido antes? Sacudió la cabeza.

—No, de ninguna manera. Soy una persona diferente ahora. Tengo actitudes diferentes. Tengo una forma distinta de entender mi cuerpo, que no tenía antes. También he cambiado en que trato de enfrentar las grandes preguntas de la vida, las que no se desvanecen con el tiempo. El asunto es ése. Cuando te metes con las preguntas importantes, ya no las puedes dejar de lado.

—¿Y cuáles son esas preguntas importantes?

—Tal como lo veo, tienen que ver con el amor, la responsabilidad, la espiritualidad, con ser consciente de las cosas. Y si volviera a estar sano, esas preguntas seguirían siendo mi preocupación. Deberían haberlo sido todo el tiempo, siempre.

Traté de imaginarme a Morrie sano. Se quitaría las mantas de encima, se levantaría de la silla y los dos saldríamos a dar una vuelta por la vecindad, de la misma manera en que solíamos caminar por el campus. De repente caí en la cuenta de que hacía dieciséis años que no lo veía de pie. ¿Dieciséis años?

—¿Y si volvieras a estar sano por un día. —pregunté—. ¿Qué harías?

—¿Veinticuatro horas?

—Veinticuatro horas.

—Déjame pensar... Me levantaría por la mañana, haría mis ejercicios, me comería un delicioso desayuno con té y bizcochos, iría a nadar y luego invitaría a mis amigos a comerse un buen almuerzo. Les pediría que vinieran por parejas, o de uno en uno, para que pudiéramos hablar de sus familias, de sus asuntos, de todo lo que significamos los unos para los otros. Después me gustaría ir a dar una vuelta, por un parque con árboles, mirar los colores de las hojas, los pájaros, ver un poco de la naturaleza que no he visto desde hace tanto. Y por la noche iríamos todos juntos a un buen restaurante de pasta, o tal vez a comer pato, porque me encanta el pato, y bailaríamos el resto de la noche. Bailaría con todas las buenas parejas, hasta que estuviera exhausto. Y después volvería a casa a dormir profunda y deliciosamente.

—¿Eso es todo?

—Eso es todo.

Era tan simple. Tan corriente. En realidad estaba un poco decepcionado. Supuse que querría irse a Italia, o almorzar con el presidente, o correr por la playa, o probar todas las cosas exóticas del mundo. Tras todos esos meses tendido allí, sin poder mover una pierna o un pie, ¿cómo podía encontrar algo de perfección en ese día tan común y corriente?

Luego me di cuenta de que ése era precisamente el punto.

Antes de que me fuera ese día, Morrie me preguntó si podía traer un tema a colación.

—Tu hermano —dijo.

Sentí un escalofrío. No sé cómo supo que eso era lo que tenía en mente. Había tratado de hablar con mi hermano durante las últimas semanas y me había enterado, a través de un amigo suyo, que iba y venía constantemente de un hospital en Amsterdam.

—Mitch, sé que duele no poder estar con alguien que uno ama. Pero tienes que entender que eso es lo que él quiere. A lo mejor él no desea que tú interrumpas tu vida. Tal vez no puede cargar con ese peso. Yo le digo a todo el mundo que continúe con la vida que conoce, que no la arruine porque yo me esté muriendo.

—Pero es mi hermano —dije.

—Ya lo sé —dijo Morrie—. Por eso es que te duele.

Vi a Peter como cuando tenía ocho años, con el pelo rubio y crespo, esponjado como una bola sudorosa sobre su cabeza. Nos vi luchando en el patio vecino, con los jeans manchados de grasa en las rodillas. Lo vi cantando frente al espejo, con un cepillo a manera de micrófono, y nos vi subiéndonos al ático donde nos escondíamos de niños, desafiando a nuestros padres para que nos encontraran para ir a comer.

Y luego lo vi como el adulto que se había alejado, delgado y frágil, con la cara demacrada debido a los tratamientos de quimioterapia.

—Morrie —dije—, ¿por qué no quiere verme?

—No hay una fórmula para las relaciones —dijo mi profesor con un suspiro—. Hay que negociarlas en términos amorosos, dejando espacio para ambas partes, para lo que quieren y para lo que necesitan, para lo que pueden hacer y para su vida. En los negocios la gente hace concesiones para ganar. Negocian para obtener lo que quieren. Tal vez te acostumbraste a eso. Pero con el amor es diferente. Amar a alguien es preocuparse por la situación del otro, de la misma manera en que te preocupas por la tuya. Has tenido momentos así con tu hermano, pero ya no tienes eso que existía antes con él. Y lo quieres de vuelta. Nunca quisiste que se acabara. Pero eso es parte de ser humano. Detenerse, renovar, detenerse, renovar.

Lo miré. Vi toda la muerte del mundo. Me sentí impotente.

—Vas a encontrar un camino para acercarte a tu hermano —dijo Morrie.

—¿Cómo lo sabes?

Morrie sonrió.

—Me encontraste a mí, ¿no?

—El otro día oí un cuento que me gustó —dice Morrie. Cierra los ojos un instante y yo espero—. Bien, la historia es de una pequeña ola, que va por el océano disfrutándolo plenamente. Le gusta el viento y el aire fresco, hasta que ve a otras olas frente a ella, rompiéndose en la playa.

"¡Dios mío, esto es terrible!", dice la ola. "¡Mira lo que me va a pasar a mí!" Otra ola pasa y ve a la primera toda triste y le dice: "¿Por qué estás tan triste?" La primera ola dice: "¿No te das cuenta? ¡Todas vamos a rompernos! ¡Todas las olas nos convertimos en nada! ¿No te parece espantoso?" La segunda ola dice: "La que no entiende eres tú. Tú no eres una ola sino que eres parte del mar".

Sonrío. Morrie cierra los ojos de nuevo.

—Parte del mar —dice—. Parte del mar.

Lo observo respirar; inhalar, exhalar, inhalar, exhalar.

El decimocuarto martes.
En el que nos decimos adiós

Hacía frío y el día estaba húmedo cuando subí las escaleritas de la casa de Morrie. Iba fijándome en detalles, cosas que no había visto en mis visitas anteriores. El corte de la colina. La fachada de piedra de la casa. Las plantas y los arbustos bajos. Caminé lentamente, tomándome mi tiempo, pisando hojas secas que se aplanaban bajo mis pies.

Charlotte me había llamado el día anterior para decirme que Morrie "no estaba bien". Era su manera de decir que el final había llegado. Morrie había cancelado todas sus citas y había dormido casi todo el tiempo, cosa que no era usual en él. Dormir nunca le pareció importante, no cuando había gente con quien hablar.

—Quiere que vengas a verlo —dijo Charlotte—, pero Mitch...

—¿Sí?

—Está muy débil.

Los escalones de la entrada. El vidrio de la puerta de entrada. Absorbí esas cosas en actitud contemplativa, como si las viera por primera vez. Sentí la grabadora en el maletín que me colgaba del hombro y lo abrí para asegurarme de que tenía cintas para grabar. No sé por qué lo hice. Yo siempre tenía cintas.

Connie me abrió la puerta. Normalmente ella estaba radiante, pero ese día tenía una expresión de desaliento. Me saludó con una voz casi inaudible.

—¿Cómo está? —dije

—No muy bien —dijo mordiéndose el labio inferior—, no quiero pensar en eso. Es una persona tan dulce, ¿no?

—Sí.

—Es una verdadera lástima.

Charlotte venía por el corredor y me abrazó. Dijo que Morrie aún dormía, aunque ya eran las 10 a.m. Fuimos a la cocina. Le ayudé a ordenar y vi todos los frascos de pastillas, un pequeño ejército de soldaditos de plástico café, con cascos blancos. Mi viejo maestro tenía que tomar morfina para respirar fácilmente.

Puse la comida que había llevado en el refrigerador: sopa, pasteles vegetarianos, ensalada de atún. Me disculpé con Charlotte por llevarla. Morrie no había comido nada por el estilo en meses, ambos lo sabíamos, pero se había convertido en una especie de tradición. A veces, cuando uno sabe que va a perder a alguien, se aferra a cualquier cosa que pueda.

Esperé en la sala en la que Morrie y Ted Koppel habían tenido su primera entrevista. Leí el periódico que había sobre la mesita. Dos niños de Minnesota se habían disparado mutuamente, jugando con las pistolas de sus padres. En Los Ángeles, un bebé había aparecido entre un tarro de la basura en un callejón.

Dejé el periódico y me puse a mirar la chimenea vacía. Di golpecitos ligeros con el pie en el piso de madera. Oí una puerta que se abría y se cerraba, y luego las pisadas de Charlotte viniendo hacia mí.

—Muy bien —dijo con suavidad—. Ya está listo para verte.

Me levanté y di media vuelta hacia el lugar en el que siempre estaba Morrie, pero vi a una mujer desconocida, sentada al final del pasillo en una silla plegable, con los ojos puestos en un libro y las piernas cruzadas. Era una enfermera, parte de la vigilancia de 24 horas que Morrie necesitaba ahora.

El estudio de Morrie estaba vacío. Eso me confundió. Luego me dirigí con cierta angustia hacia la habitación y allí estaba, tendido en la cama, cubierto por las sábanas. Sólo lo había visto así una vez, cuando le estaban haciendo un masaje, y el eco de su aforismo "Quedarse acostado es como estar muerto y enterrado" me resonó en la cabeza.

Entré, tratando de poner una sonrisa. Morrie tenía una camisa de piyama amarilla y una manta lo cubría del pecho hacia abajo. El bulto de su cuerpo estaba tan disminuido que casi pensé que faltaba algo. Era tan pequeño como un niño.

Morrie tenía la boca abierta y la piel pálida y tirante sobre los huesos de los pómulos. Cuando su mirada cayó sobre mí, trató de hablar pero sólo oí un gruñido suave.

—Ahí estás —dije, reuniendo todo el entusiasmo que pude encontrar, aunque me sentía vacío.

Exhaló, cerró los ojos y luego sonrió. El simple esfuerzo parecía agotarlo.

—Mi... querido amigo... —dijo finalmente.

—Soy tu amigo —dije.

—No me... siento... muy... bien hoy...

—Mañana vas a estar mejor.

Exhaló y se esforzó por asentir. Estaba luchando con algo bajo las sábanas, y me di cuenta de que estaba tratando de mover las manos para sacarlas de debajo de la manta.

—Ten... —dijo.

Tiré de las mantas hacia abajo y agarré sus dedos. Desaparecieron entre los míos. Me acerqué hasta unos pocos centímetros de su cara. Era la primera vez que lo veía sin afeitar, la pelusa blanca tan fuera de lugar, como si alguien le hubiera rociado sal en las mejillas y la barbilla. ¿Cómo podía haber vida en su barba cuando en las demás partes escaseaba?

—Morrie —dije en voz baja.

—Entrenador —me corrigió.

—Entrenador —dije. Sentí un escalofrío.

Morrie hablaba a trancazos cortos, inhalando aire para exhalar palabras. Su voz era débil y áspera. Olía a ungüento.

—Eres... una buena... persona.

—Una buena persona.

—Me llegaste... aquí... —murmuró y movió mis manos hacia su corazón—. Aquí.

Sentí que tenía un nudo en la garganta.

—Entrenador...

—¿Aaah?

—No sé cómo decirte adiós.

Dio unos golpecitos débiles en mi mano, manteniéndola en su pecho.

—Así... es como... nos decimos... adiós...

Respiró suavemente, inhalación, exhalación. Yo podía sentir el tórax que subía y bajaba. Me miró a los ojos.

—Te... quiero... —carraspéo.

—Yo también te quiero, Entrenador.

—Lo sé... sé... otra... cosa.

—¿Qué más sabes?

—Tú... siempre...

Los ojos se le empequeñecieron y luego

lloró. La cara se le contrajo como la de un bebé que aún no sabe cómo funcionan los conductos lagrimales. Lo abracé durante varios minutos. Acaricié su piel fofa, le acaricié el pelo. Puse mi palma contra su cara y sentí sus huesos tan cerca de la carne y las diminutas lágrimas húmedas, que parecían salidas de un gotero.

Cuando la respiración se le normalizó, me aclaré la garganta y dije que sabía que estaba cansado, así que volvería el siguiente martes y esperaba que estuviera un poco más alerta, gracias. Gruñó levemente, lo más cercano a una carcajada que podía hacer. Pero de todas maneras era un sonido triste.

Levanté el maletín con la grabadora, que no había sacado. ¿Para qué la había traído? Sabía que nunca la iba a usar. Me agaché y lo besé, mi cara contra la suya, piel barbada contra piel barbada, y me mantuve allí un poco más de lo normal, en caso de que le produjera algo de gozo.

—Entonces, ¿nos vemos? —dije levantándome.

Traté de retener las lágrimas y él hizo la mueca de una sonrisa y levantó las cejas al ver mi cara. Me gusta pensar que fue un efímero momento de satisfacción para mi querido maestro: finalmente me había hecho llorar.

—Nos vemos —susurró.

La ceremonia de graduación

Morrie murió un sábado por la mañana.

Su familia cercana estaba en la casa. Rob viajó desde Tokio —alcanzó a despedirse de su padre—, y Jon estaba allí, y obviamente también Charlotte, y su prima Marsha, quien escribió el poema que tanto conmovió a Morrie el día de su funeral en vida, el poema que lo comparaba con una "sequoia tierna". Durmieron turnándose al lado de su cama. Morrie cayó en coma dos días después del último martes, y el médico dijo que podía irse en cualquier momento. Sin embargo, él resistió a lo largo de una tarde difícil y una noche oscura.

Finalmente el 4 de noviembre, cuando los que amaba salieron del cuarto un instante para buscar un café —la primera vez que estaba solo desde que entró en coma—, Morrie dejó de respirar.

Y se fue.

Creo que murió de esa forma a propósito. Creo que no quería momentos espeluznantes, no quería que nadie asistiera a su último aliento y quedara obsesionado con él, de la manera en que él lo había estado con el telegrama que anunciaba la muerte de su madre o con el cadáver de su padre en la morgue.

Creo que sabía que estaba en su cama, que sus libros y sus papeles y su matica de hibisco estaban cerca. Quería irse serenamente y así lo hizo.

El funeral tuvo lugar una mañana húmeda y con mucho viento. La hierba estaba mojada y el cielo tenía el color de la leche. Estábamos de pie junto al hoyo, lo suficientemente cerca como para alcanzar a oír el agua del lago lamiendo la orilla y para ver a los patos sacudiéndose las plumas.

A pesar de que había cientos de personas con deseos de asistir, Charlotte quiso que sólo fuera un grupo pequeño, unos cuantos amigos cercanos y parientes. El rabino Axelrad leyó unos poemas. El hermano de Morrie, David, quien todavía cojeaba debido a la parálisis infantil, levantó la pala y dejó caer una palada de tierra en la tumba, como lo indica la tradición.

En cierto momento, cuando las cenizas de Morrie fueron puestas en la tumba, miré a mi alrededor en el cementerio. Morrie tenía razón. Era un lugar muy hermoso, con árboles, hierba y una colina.

"Tu hablarás y yo te escucharé", había dicho.

Traté de hacerlo en mi imaginación y, para mi felicidad, me di cuenta de que la conversación imaginaria me resultaba casi natural. Me miré las manos, vi mi reloj y entendí por qué.

Era martes.

"Mi padre estaba presente a través de nosotros,
propiciando al cantar el retoño de cada hoja
en cada árbol
(y todos los niños estaban seguros de que
la primavera
bailaba cuando oía a mi padre cantar)..."

De un poema de e.e. cummings, que Rob, el hijo de Morrie, leyó en el funeral.

Conclusión

A veces miro hacia atrás y me veo como era antes de redescubrir a mi viejo maestro. Quiero hablarle a esa persona. Quiero decirle qué buscar, qué errores evitar. Quiero decirle que tenga la mente más abierta, que haga caso omiso del atractivo de los valores que nos venden, que les preste atención a sus seres queridos cuando hablan, como si fuera la última vez que los fuera a oír.

Pero lo más importante que quiero decirle a esa persona es que se suba a un avión apenas pueda, y vaya a visitar a un anciano amable en West Newton, Massachusetts, antes de que ese anciano se enferme y pierda la capacidad de bailar.

Sé que no puedo hacerlo. Nadie puede deshacer lo que ha hecho, o vivir de nuevo la vida que ya vivió. Pero si el profesor Morrie Schwartz me enseñó algo fue esto: en la vida nunca es "demasiado tarde". Él siguió cambiando hasta el día en que dijo adiós.

Poco después de la muerte de Morrie, logré hablar con mi hermano en España. Conversamos largamente. Le dije que respetaba su dis tancia y que todo lo que quería era que nos mantuviéramos en contacto, en el presente y no sólo en el pasado, para tenerlo en mi vida tanto como él me lo permitiera.

—Eres mi único hermano —le dije—, no quiero perderte. Te quiero.

Nunca antes le había dicho algo así.

Unos días más tarde recibí un fax. Estaba escrito en mayúsculas, mal redactado, con la letra dispersa que caracterizaba las palabras de mi hermano.

"¡HOLA! ¡YA SOY PARTE DE LOS AÑOS 90!", empezaba. Me contaba lo que había estado haciendo en la semana y un par de chistes. Al final, se despedía así:

"TENGO ACIDEZ Y DIARREA EN ESTE MOMENTO. ¡LA VIDA ES UNA PORQUERÍA!

¿HABLAMOS MÁS TARDE?
(FIRMADO) TRASERO ADOLORIDO"

Me reí hasta que se me salieron las lágrimas.

Este libro era más que todo una idea de Morrie. Lo llamaba nuestra "tesis final". Como el mejor de los proyectos de trabajo, nos acercó mutuamente y Morrie estaba encantado cuando varias editoriales se mostraron interesadas en publicarlo, a pesar de que murió antes de cualquier entrevista con los editores. El dinero del anticipo ayudó a pagar las costosísimas cuentas médicas de Morrie, y eso nos llenó de agradecimiento a ambos.

El título surgió un día en la oficina de Morrie. A él le gustaba bautizar las cosas. Tenía varias ideas. Pero cuando dije: "¿Qué tal *Encuentros con Morrie*?", él sonrió casi sonrojado y supe que ése sería el título.

Después de la muerte de Morrie, me puse a mirar entre las cajas en las que guardaba cosas de la universidad y descubrí el trabajo que había escrito para uno de sus cursos. Era de hacía viente años. En la página delantera estaban mis comentarios a lápiz para Morrie, y debajo, sus respuestas.

Los míos empezaban: "Querido Entrenador..."

Los suyos: "Querido Jugador..."

Por alguna razón, cada vez que leo eso lo extraño más.

¿Alguna vez ha tenido un maestro de verdad? ¿Uno que lo viera como una piedra preciosa en bruto, una joya que con sabiduría se podría pulir hasta alcanzar un brillo magnífico? Si tiene la buena fortuna de encontrar a uno de esos profesores, siempre va a encontrar el camino de vuelta a ellos. A veces ese camino está sólo en nuestra cabeza. A veces está al lado de la cama de ellos.

El último curso que mi viejo profesor dictó en la vida se llevaba a cabo una vez por semana en su casa, al lado de una ventana en su estudio, donde él podía ver una planta de hibisco de flores rosadas. La clase era los martes. No se necesitaban libros. El tema era el sentido de la vida. Se enseñaba a partir de la experiencia.

La enseñanza aún continúa.

Agradecimientos

Quisiera agradecer la enorme ayuda que recibí en la creación de este libro. Por sus recuerdos, su paciencia y su orientación, mi gratitud para Charlotte, Rob y Jonathan Schwartz, Maurie Stein, Charlie Derber, Gordie Fellman, David Schwartz, el rabino Al Axelrad y los múltiples amigos y colegas de Morrie. También muchas gracias a Bill Thomas, mi editor, por manejar este proyecto con el toque perfecto. Y, como siempre, mis agradecimientos para David Black, quien con frecuencia cree en mí más de lo que yo creo en mí mismo.

Pero, sobre todo, mi gratitud para Morrie, por querer hacer este último proyecto juntos. ¿Ha tenido usted alguna vez un profesor como éste?

Otros títulos

Si a ustedes les gustó este libro, le recomendamos estos otros títulos de nuestro fondo de Autoayuda:

LOS SIETE SECRETOS DEL ÉXTIO.
Una historia de esperanza
Richard Webster

EL LIBRO DE LOS PLACERES PERDIDOS
Cómo recuperarlos y volver a llevar una vida sencillamente plena
Robin Meyers

DE HOMBRE A HOMBRE (CARTAS A MI HIJO)
Sabias lecciones sobre las mujeres, el amor, la vida y la humanidad
Kent Nerburn

SABIDURÍA DE SOBREMESA
Historias y reflexiones que reconfortan y enseñan a vivir
Rachel Naomi Remen

PEQUEÑOS MILAGROS
Coincidencias extraordinarias de la vida real
Yitta Halberstam y Judith Leventhal

EL DON DE LA PAZ
Relfexiones personales
Cardenal Joseph Bernardin